Zu diesem Buch

»Der kleine Machiavelli« ist eine Satire auf die Gesetze des Erfolgs. Im Mittelpunkt steht der Typ »Manager«, der erfolgreiche Aufsteiger der Neuzeit – oder auch der, der es gerne wäre –, dem jedes Mittel recht ist, wenn es nur der eigenen Karriere dienlich ist. Daran hat sich wenig geändert, seitdem Niccolò Machiavelli in seiner Streitschrift »Il principe« von 1513 die Regeln des Machtspiels beschrieben hat. Allerdings haben sich diese seither doch erheblich verfeinert. Ständig gilt es, den eigenen Marktwert – weniger den des Unternehmens – zu steigern. Mit leisem Spott rücken Peter Noll und Hans Rudolf Bachmann einer Kaste zu Leibe, deren edle Geschäftigkeit den besonderen Regeln machiavellistischer Herrschaftsaneignung verpflichtet ist. Eine erfrischende Satire auf eine Branche, deren hohes soziales Prestige mit teilsweise höchst zweifelhaften Verhaltensnormen korrespondiert.

Peter Noll (1926–1982), einer der angesehensten Schweizer Juristen, war zuletzt Professor für Strafrecht an der Universität Zürich. Mitverfasser des Alternativ-Entwurfs für ein deutsches Strafgesetzbuch. Mit der Diagnose Blasenkrebs konfrontiert, lehnte er eine Operation ab. 1984 erschienen im Pendo Verlag seine »Diktate über Sterben und Tod« mit der Totenrede von Max Frisch, die ein internationaler Bestseller wurden.
Hans Rudolf Bachmann (1930–1989), Dozent für Marketing und Kommunikation an verschiedenen Wirtschaftshochschulen Europas, spezialisierte sich auf Probleme der zentralisierten und dezentralisierten Führung von Großkonzernen.

Inhalt

Vorwort

Den größten Teil dieser Seiten habe ich zusammen mit Peter Noll unmittelbar vor seinem Tod geschrieben. Das Phänomen der Macht hat ihn zeitlebens beschäftigt; er wollte darstellen, wie die Macht in den verschiedensten Gruppierungen der menschlichen Gesellschaft zum Ausdruck kommt: in der Kirche, im Militär, in der Wissenschaft und eben in der Wirtschaft.

In der Wirtschaft haben ihn vor allem die Machtträger fasziniert und auch belustigt. Die wirtschaftlichen Machthaber tragen keine Uniformen oder Talare, sie tragen auch keine Orden. Vom Gehabe her sind sie nicht extravagant wie Mussolini oder Napoleon. Sie sind meist recht phantasielose Normalbürger, die die Früchte der Macht mit gezieltem und wohldosiertem Hedonismus genießen. Meistens werden sie in der Unternehmung selbst zurechtgebogen. Fast schlimmer sind die risikofreien und todsicheren Selektionsverfahren der Consultants, auch headhunter genannt. Diese Berater liefern den Unternehmen uniforme und vorprogrammierte Manager-Nachfolgeprodukte. Die Alpha- oder Betatypen, vorzugsweise rekrutiert aus Ausbildungsstätten wie der Harvard oder der A. Huxley University, können naturgemäß nicht besonders kreativ sein und reagieren in der Regel sehr schematisch auf die dauernden Veränderungen des Marktes.

Diese standardisierten Zuchtfolgen, diese fast jesuitisch anmutende Ordenskultur lassen traurig in die Zukunft blicken. Oder kann man sich vorstellen, daß im Aufsichtsrat eines Konzerns Colani oder Salvador Dalí Platz nehmen? Und das, obwohl Dalí die Swatch-Uhr wahrscheinlich bereits 1950 auf den Markt gebracht hätte!

Hans Rudolf Bachmann

*

Dieses Buch ist eine Satire. Denn es erwies sich als zu schwierig, ja, als unmöglich, über das Thema anders als satirisch zu schreiben. Machtkämpfe im wirtschaftlichen Management haben – aus kritischer Distanz betrachtet – so viele groteske Aspekte, daß gerade eine wahrheitsgetreue Schilderung zwangsläufig satirisch wird.

Alles, was in diesem Buch beschrieben wird, hat sich in der Wirklichkeit zugetragen. Auch die Akteure haben wir keineswegs karikiert. Wohl aber hat uns die beabsichtigte kritische Distanz dazu geführt, fast alle Namen der beschriebenen Personen und Unternehmen abzuändern, denn es kam uns darauf an, die allgemeinen Strukturen, Mechanismen und Gesetzmäßigkeiten aufzuzeigen, die immer und überall ähnlich anzutreffen sind. Das Ganz-klein-Karierte haben wir soweit wie möglich weggelassen. So gesehen sind die Figuren, die in diesem Buch auftreten, eher etwas größer und edler als die Personen der historischen Realität.

Trotzdem wird unsere Darstellung allen von Nutzen sein, die über Anpassungsfähigkeit verfügen und einem gesunden Opportunismus nicht moralisierenderweise abhold sind. Nichts von dem, was wir dem Aufsteiger empfehlen, liegt außerhalb des Systems und seiner Legalität.

Peter Noll

Das Gesetz der 50jährigen Männer

Als der Autogigant Chrysler im Jahre 1979 nahezu Pleite machte, da griff sich jedermann an den Kopf: Wie konnten diese brillanten Manager eine Entwicklung verschlafen, die doch jeder vorausgesehen hatte! Seit 1973 gab es die Ölkrise; man wußte, daß der Ölpreis weiter und weiter steigen und die Ölreserven bald zu Ende gehen würden. Trotzdem hatte sich Chrysler – und übrigens auch General Motors – darauf kapriziert, weiterhin Autos zu produzieren, die eher wie Fregatten aussahen und entsprechend viel Sprit soffen. Dabei waren längst schon die Deutschen und die Japaner mit kleinen, sparsamen, teils sogar schmucken Autos auf dem Markt. Die Manager von Chrysler und General Motors aber blieben ruhig auf ihren Autohalden sitzen.

Das Unternehmen hat die Entwicklung verschlafen, wie man so schön sagt. Haben auch die Manager geschlafen? Keineswegs. Waren die Manager dumm oder blind? Natürlich trifft auch dies nicht zu. Wenn sie es auch nicht sagten, haben sie doch ziemlich genau die Entwicklung vorausgesehen, nicht anders als die ausländische Konkurrenz. Warum haben sie dann aber nichts getan? Warum haben sie weiterhin ihre kaum verkäuflichen großen Fregatten produziert? Wir alle, Anhänger der freien Marktwirtschaft, sind der festen Überzeugung, daß es der Wirtschaft und den Unternehmungen gutgeht, wenn und weil es den Managern gutgeht. Diese sind voll kreativer Kraft, optimieren die Gewinne, verhelfen über das Konkurrenzprinzip den Kunden zu günstigen Angeboten und werden dafür von ihrer Firma entsprechend belohnt. Zwischen den Interessen des Unternehmens und den Interessen der Manager besteht keinerlei Widerspruch.

Leider müssen wir an dieser idyllischen Vorstellung einige kleinere Korrekturen anbringen, die sich nicht zuletzt mit den Beispielen von Chrysler und General Motors und etwa auch mit der Uhrenindustrie in der Schweiz begründen lassen. Grob gesagt: Das Interesse des Managers *kann* mit dem Interesse des Unternehmens übereinstimmen, tut es auch hin und wieder, *muß* es aber nicht. Wenn das Interesse des Managers mit dem des Unternehmens kollidiert, dann zieht der Manager regelmäßig sein eigenes Interesse dem Interesse der Firma vor. Natürlich hofft er, daß solche Kollisionen nie entstehen; aber wenn sie entstehen, dann ist er eben leider gezwungen, seinem eigenen Ego den Vortritt zu geben. Im

Grunde stand das Management von Chrysler vor einem gänzlich unlösbaren Dilemma. Hinterher läßt es sich leicht sagen, man hätte eben schon 1973 die Produktion von großen Autos einstellen und nur noch kleine, sparsame Wagen, gewissermaßen mit japanischen Schlitzaugen produzieren sollen. Diese an und für sich richtige Entscheidung, eine Entscheidung für eine eigentliche chirurgische Operation, mochte ganz einfach niemand verantworten. Das Unternehmen hätte eine grauenhafte Durststrecke durchschreiten müssen; die Gewinne wären auf mindestens fünf Jahre hinaus ausgeblieben, die Aktionäre hätten aufgeheult; wahrscheinlich hätten sogar Arbeiter entlassen werden müssen. Wohl wurde hin und wieder im Aufsichtsrat von der möglichen Notwendigkeit einer so scharfen Maßnahme gesprochen; doch bald einigte man sich darauf, mehr Energie für die Suche nach Argumenten zu verwenden, die dazu dienten, sich selbst und dem Publikum plausibel zu machen, daß nichts geändert wurde. Schließlich war ja nicht Chrysler daran schuld, daß die OPEC ständig die Ölpreise hinauftrieb, noch weniger daran, daß die US-Regierung unfähig war, im Persischen Golf eine Präsenz aufzubauen, die den Benzinpreis niedrig gehalten hätte.

Auf der anderen Seite war ebenso klar, daß man die Aktionäre, die Arbeiter und die Kunden nicht *nur* mit solchen Sprüchen abspeisen konnte. *Etwas* mußte doch getan werden, und es *wurde* auch etwas getan. Nach langen Diskussionen im Aufsichtsrat einigte man sich darauf, einem besonders ungestümen Unternehmungsleiter zu gestatten, ein 10 cm kürzeres Modell zu produzieren und diese Gattung auf den Namen compact car zu taufen. Dabei war man sich bewußt, daß diese compact cars immer noch größer waren als die mittelgroßen europäischen und japanischen Autos. Immerhin hatte man gezeigt, daß man den Zug der Zeit erkannte, und schließlich war das Ganze ein recht vernünftiger Kompromiß, mit dem alle zufrieden sein konnten.

Eigentlich aber wußte jeder schon damals, daß die große Krise trotzdem kommen würde. Um das Verhalten der Männer zu erklären, die offenen Auges in die Krise hineinfuhren (mit großen Wagen und mit compact cars) und sich trotzdem für den Niedergang des Unternehmens nicht eigentlich verantwortlich fühlen *konnten*, müssen wir einen Blick auf die inneren Strukturen eines solchen Unternehmens werfen.

Auf der ganzen Welt sind die großen Konzerne ähnlich aufgebaut. Es gibt die Generalversammlung der Aktionäre, die natürlich ebensowenig zu sagen hat wie in der Demokratie das Volk, so jedenfalls bei Publikumsgesellschaften, wo die Aktien sich auf zahllose kleine und kopflose Sparer verteilen. Gehört die ganze Gesellschaft einem einzigen Mann oder einigen wenigen, dann haben wir es mit einem ganz anderen Fall zu tun, dem wir ein eigenes Kapitel widmen müssen. Bleiben wir also bei der Publikums-Aktiengesellschaft. Zuoberst thront der Aufsichtsrat (in der Schweiz Verwaltungsrat genannt), der bei großen Konzernen aus etwa 20 Personen besteht, die sich in der Regel dadurch auszeichnen, daß sie von der betreffenden Branche nichts verstehen, jedoch dafür bekannt sind, daß sie noch in anderen Aufsichtsräten sitzen, wo sie ebenfalls vom betreffenden Geschäft nichts verstehen, aber mit ihrem bekannten Namen dafür bürgen, daß es sich bei dem Unternehmen um eine angesehene Sache handelt. Natürlich spielen dann auch noch Beziehungen eine gewisse Rolle, vor allem zu den Banken. Der Aufsichtsrat tut eigentlich nichts anderes, als sich vierteljährlich zusammenzusetzen, um die Vorschläge der Generaldirektion (in vielen Unternehmen auch Vorstand genannt) zu genehmigen.

Dieses allgemeine Ja-Sagen kommt nun allerdings nicht etwa schlicht dadurch zustande, daß die Generaldirektion den Aufsichtsrat fest im Griff hätte oder daß gar die Aufsichtsräte vor den Generaldirektoren Angst hätten, sondern es handelt sich, wie überall in hierarchischen Organisationen, um das folgende Phänomen: Da der Aufsichtsrat die Generaldirektion gewählt hat, muß er, schon um sein eigenes Gesicht nicht zu verlieren, mit den Vorschlägen der Generaldirektion einverstanden sein; andernfalls könnte man ihm vorhalten, er habe falsche Wahlen getroffen.

Auf der anderen Seite ist auch die Generaldirektion nicht daran interessiert, Vorschläge zu unterbreiten, die der Aufsichtsrat nicht genehmigt. Mindestens in heiklen Fragen wird also alles vorher abgesprochen. Letztlich aber liegt die ganze Macht bei der Generaldirektion. Wir können davon ausgehen, daß im allgemeinen die einzelnen Generaldirektoren ungefähr informiert sind über den Teilbereich des Unternehmens, dem sie vorstehen. Sie können ihre Informationen dem Aufsichtsrat unterbreiten oder sie auch zurückhalten. Zurückgehalten werden vor allem Informationen, die besonders wichtig sind, bei denen man Einwände des Aufsichtsrates befürchtet, und natürlich besonders solche, die unangenehm sind. Z. B. wird ein Generaldirektor, der ein sehr expansives Programm aufbauen möchte, dieses höchstens in ganz verwässerter Form dem Aufsichtsrat unterbreiten, weil das Generaldirektionsmitglied weiß, daß der Aufsichtsrat immer nur bremst und dämpft. Das hängt auch mit dem Alter der betreffenden Burschen zusammen: Aufsichtsrat wird man erst im Spätherbst eines Managerlebens. In den Aufsichtsräten finden wir denn auch regelmäßig die geballte Weisheit und Mäßigung des Alters.

Da die Aufsichtsräte sehr schlecht informiert sind, ist es im allgemeinen auch leicht, ihre Entscheidungen so zu gestalten, wie man sie von der Generaldirektion her will.

Es geschieht zwar glücklicherweise selten, aber doch hin und wieder, daß ein Mitglied des Aufsichtsrates eine geradezu unverschämte Frage stellt wie z. B. die folgende:

»Wie kommt es, meine Herren, daß die budgetierten Kosten von 10 Mio für ein zentrales Lagerhaus um mehr als die Hälfte überschritten wurden und wir nun sage und schreibe 16,2 Mio ausgeben müssen? Es wäre mir sehr angenehm, dafür eine plausible Erklärung zu bekommen.«

Generaldirektor Luther ist etwas überrascht, faßt

sich aber schnell: »Sie sollten selbst wissen, Herr Doktor Eck, daß der Aufsichtsrat seinerzeit das Projekt aufgrund einer bloßen Grobanalyse genehmigt hat. Inzwischen hat die Feinevaluierung ergeben, daß mit nur 6,2 Mio Mehrkosten die Lagerkapazität auf das Dreifache ausgedehnt wird und die Unternehmung damit ihre logistischen Bedürfnisse nicht nur, wie ursprünglich vorgesehen, bis Ende der achtziger-, sondern sogar bis Mitte der neunziger Jahre mit Sicherheit befriedigen kann, und dies mit nur 6,2 Mio Mehrkosten. Es wäre schlicht unverantwortlich gewesen, wenn wir diesen Zeithorizont, der sich uns nach den neueren Studien aufgedrängt hat, nicht in dieser Weise ausgeschöpft hätten.«

Darauf Dr. Eck: »Ich glaube im Namen aller meiner Kollegen zu sprechen, wenn ich dem Herrn Luther dafür danke, daß er so weitblickend und in eigener Verantwortung für das Wohl der Firma vorgesorgt hat.« In den nächsten zwei Jahren hat Dr. Eck dann in den Aufsichtsratssitzungen keine Fragen mehr gestellt.

In Wirklichkeit hatte das Ganze mit weitblickender Vorausplanung und Feinevaluierung überhaupt nichts zu tun, sondern ausschließlich mit Schlamperei: Generaldirektor Luther hatte es ganz einfach unterlassen, mit den Bauunternehmen klare und sichere Verträge abzuschließen. Das mit der höheren Lagerkapazität stimmte natürlich überhaupt nicht. Der Fall zeigt, wie einfach es ist, Einwände des Aufsichtsgremiums vom Tisch zu wischen.

Zurück zu unserer Frage, warum Chrysler auf die Herausforderung des Ölmarktes und der japanischen Autoimporte ganz einfach nicht richtig reagieren *konnte*. In der Generaldirektion saßen 15 Mitglieder, und wir können davon ausgehen, daß ihr Wissensstand mindestens so hoch war wie derjenige der Wirtschaftsjournalisten, die seit langem darüber berichteten, daß man die bisher produzierten Autos nicht mehr absetzen könne. Gesetzt den Fall, Generaldirektionsmitglied J. R. Edsel habe sich nach langen inneren Kämpfen entschlossen, das, was alle seine Kollegen wissen und woran sie auch wie er ständig denken, endlich offen auszusprechen. Zuvor hat er sich mit seinem ihm am nächsten stehenden Kollegen H. F. Dart vertraulich besprochen, und beide sind sie übereinstimmend zur Auffassung gekommen, es müsse etwas Energisches getan werden, weil es tatsächlich um Sein oder Nichtsein des Unternehmens ging. Man wird nicht bestreiten können, daß hier eine gewisse Selbstlosigkeit am Werk war. Bei der nächsten Sitzung der

Generaldirektion legte Edsel ein Konzept vor, worin er vorschlug, die gesamte Angebotspolitik dramatisch zu verändern: Kleine, kleine, kleine Autos. Die Antwort, die Edsel von seinen Kollegen erhielt, kam für keinen Kenner unerwartet:

»Sie sprechen uns aus dem Herzen, Herr Kollege Edsel, und sicher glauben Sie uns, daß auch wir, Tag und Nacht von denselben Sorgen geplagt, wie Sie über die gleichen Probleme und Projekte nachgedacht haben. Die Idee von den kleinen, kleinen, kleinen Autos haben wir auch schon erwogen; sie hat in der Tat etwas Bestechendes, wenn sie auch, das müssen Sie zugeben, ziemlich auf der Hand liegt. Auf der anderen Seite ist das, was Sie uns verschreiben wollen, eine ausgesproche Roßkur. Wir können dieses Ziel, das uns allen wohl gemeinsam vorschwebt, nur durch eine Politik der kleinen Schritte erreichen. Stellen Sie sich doch einmal ganz konkret vor, was bei der Verwirklichung Ihres Vorschlages geschehen wird. Wir werden sofort massiv in die roten Zahlen abrutschen. Die Folgen kennen Sie genausogut wie wir. Die Aktienkurse sinken ins Bodenlose, es gibt Aufruhr in der Öffentlichkeit, die Gewerkschaften werden zum Streik aufrufen und schon damit das ganze Projekt zu Fall bringen. Wollen Sie wirklich die Verantwortung dafür übernehmen, daß wir Tausende von Arbeitern auf die Straße setzen müssen? Aber lieber Herr Edsel, eigentlich brauchen wir uns gar nicht allzulange den Kopf über Ihr Projekt zu zerbrechen; denn wir wissen doch alle, daß wir diese Idee unserem Aufsichtsrat überhaupt nicht verkaufen können.«

Edsel wehrt sich, nun schon fast verzweifelt: »Aber ich bitte Sie, meine Herren, wenn wir die Entwicklung der letzten Jahre bei der gegebenen Unternehmenspolitik auf die nächsten Jahre extrapolieren, werden wir das Unternehmen mit Sicherheit in den Ruin treiben. Was Sie an kosmetischen Änderungen vorschlagen, das hat doch nur zur Folge, daß die Katastrophe ein bißchen hinausgezögert wird, dann aber um so schwerer hereinbricht. Mein Vorschlag dagegen wird uns zunächst in ein Tal bringen, aber nach einigen Jahren wieder in die Höhe.«

Nun neigt sich Generaldirektor Chevrolet, ein sonst eher schweigsamer Mann, bedeutungsvoll mit dem Oberkörper über den Tisch: »Ich muß nun doch ein ganz offenes Wort reden und Ihnen sagen, Herr Edsel, daß ich von Ihnen enttäuscht bin. Was Sie uns einreden wollen, das ist doch nichts anderes als eine Absage an die Chrysler Corporation. Wer den Glauben an sein Produkt verloren hat, den Glauben daran, was in unseren Werkstätten von fleißigen Männern Tag und Nacht geschaffen wird, der ist hier am falschen Platz. Ich dagegen muß für mich gestehen, und ich hoffe, auch im Namen der anderen Kollegen hier zu sprechen, daß ich nicht bereit bin, unser Unternehmen umzubringen; ich bin nicht für Euthanasie, sondern für Heilung, und das heißt in unserem Fall, daß wir, vom festen Glauben an die Zukunft unseres Unternehmens getragen, auf bewährtem Wege fortschreiten müssen. Ein so großes Unternehmen wie das unsere lebt nicht von Experimenten und darf auf Modeerscheinungen nicht eingehen. Sehen Sie hier die großen Männer, die unser Unternehmen gegründet und später geführt haben (Chevrolet weist mit der Hand auf die an der Wand hängenden großen Portraits der früheren Aufsichtsratsvorsitzenden); bleiben wir ihren Gedanken treu, und erinnern wir uns daran, was der Gründer unseres Unternehmens zu sagen pflegte: Wo ein Wille ist, da ist auch ein Weg. Ich danke Ihnen, meine Herren, für Ihre Aufmerksamkeit.«

So haben diese Männer gesprochen, gedacht jedoch ganz anders.

Gedacht haben sie nach dem *Gesetz der 50jährigen Männer*. Das Managerleben geht mit 60 Jahren zu Ende. Wie viele Jahre des Ruhestandes sich daran noch reihen, hängt vom Lebenswandel und der individuellen Konstitution des einzelnen ab. Aber Manager ist man in jedem Falle nach sechzig nicht mehr. Unverrückbare, eherne Gesetze sorgen dafür, daß in kritischen Situationen ein großer Konzern mit Sicherheit mindestens an den Rand der Pleite kommt. Warum gelten diese Regeln? Die Sache verhält sich sehr einfach und wird vielleicht gerade deswegen nur von wenigen durchschaut. Generaldirektor wird man erst mit etwa 50 Jahren; denn der Bau der eigenen Karriere in großen Organisationen braucht viel Zeit. Jede Führungsstufe, die man nach Abschluß der Hochschule absolvieren muß, dauert etwa fünf Jahre, und vier Stufen sind es immer mindestens. Was macht ein 50jähriger Familienvater mit Spitzeneinkommen, aber ohne Millionenvermögen, in der Krisensituation seines Unternehmens? Schon als Familienvater ist er verpflichtet, an seine Frau und seine Kinder zu denken, was es ihm erheblich erleichtert, auch an sich zu denken. Er wird sich also überlegen, ob er mit Kollege Edsel in die Talsohle fahren will, mit dem Ergebnis, daß zwar in zehn Jahren die Firma wieder blüht, die nächste Führungsgeneration aber die Früchte erntet. Soviel Selbstverleugnung ist selbst einem Manager schlechterdings nicht zuzumuten. Er wird sich also dazu entschließen, seine ihm verbleibenden zehn Jahre möglichst unauffällig und ohne Kollaps der Firma hinter sich zu bringen und vor allem seine eigene Position dabei zu halten. Also wird er jeden Vorschlag unterstützen, der Zeitgewinn bringt. Möglichst wenig Änderungen und vor allem keine radikale Operation, selbst wenn sie die einzige Rettungsmöglichkeit für das Unternehmen wäre. Natürlich wird man nicht einfach gar nichts tun, schon um sich nicht Vorwürfen auszusetzen, man habe den Zug der Zeit verschlafen. In der Tat haben unsere 15 Männer wirklich nicht geschlafen, sondern sie haben sehenden Auges das Schiff ihrer Firma ganz allmählich auf die Sandbank gesteuert.

Die Gesetzmäßigkeit des Vorganges verhilft den dafür verantwortlichen Männern zugleich zu schlagenden Argumenten. Nicht nur bei Chrysler, auch bei General Motors und bei Ford besteht selbstverständlich die Generaldirektion aus 50jährigen Männern, die genau in der gleichen Weise denken und handeln und ihr Unternehmen in genau die gleiche Krise hineinmanövrieren. Das ist eine sehr tröstliche Tatsache. Das Problem bleibt damit nicht das individuelle Problem eines einzigen Unternehmens, das möglicherweise von unfähigen Männern geführt wird, sondern es ist ein Problem der gesamten Branche, also letztlich eine Naturkatastrophe. Sowenig wie man den Bürgermeister von San Francisco für das Erdbeben, das demnächst in Kalifornien stattfinden wird, verantwortlich machen kann, sowenig wird man die Männer von Chrysler, Ford und General Motors dafür verantwortlich machen, daß sie von den japanischen und europäischen Autos überrollt worden sind.

Ist das Problem zum Problem einer ganzen Branche geworden, weil das Gesetz der 50jährigen Männer natürlich für die ganze Branche gilt, dann befindet es sich schon auf einer neuen, höheren Ebene. Es wird zum nationalen Problem. Jetzt wird die Sache in den Aufsichtsräten der Banken, in den Regierungen und in den Parlamenten diskutiert. Jetzt ist eine Verantwortung für das Debakel schon nicht mehr zu lokalisieren, und die 50jährigen Männer können ganz ehrlich auf den schicksalhaften Charakter der Entwicklung hinweisen. Sie werden sogar sagen, daß sie alles getan hätten, um dem Gang der Dinge frühzeitig eine andere Richtung zu geben, daß sie aber am Widerstand ihrer Kollegen und höherer Instanzen gescheitert seien. Daß ihr Hauptmotiv darin bestand, sich selbst zu erhalten oder wenigstens nicht Selbstmord zu begehen, das werden sie bis dahin völlig vergessen haben.

Übrigens hat sich die Szene zwischen Generaldirektor Edsel und seinen Kollegen auf der Ebene des Aufsichtsrates von Chrysler wiederholt. Edsel hat seinen Freund Plymouth im Aufsichtsrat der Corporation mobilisiert und mit ihm sein Papier diskutiert, ihn schließlich von der Richtigkeit seiner vorgeschlagenen Radikalmaßnahmen überzeugt. Plymouth hat dann dieselben Vorschläge mit einzelnen seiner Kollegen besprochen, und er ist mit genau den gleichen Argumenten vom Stuhl gefegt worden wie Edsel.

Das Gesetz der 50jährigen Männer ist übrigens nicht auf unser heutiges Wirtschaftsleben beschränkt. Unter Ludwig XV. hieß es: »Nach mir die Sintflut!«

Das Gesetz des blinden alten Mannes

Wir haben vorhin bemerkt, daß die Dinge gänzlich anders laufen, wenn ein einziger Eigentümer den ganzen Konzern beherrscht. Man wird denken, dieser Eigentümer sei natürlich in erster Linie daran interessiert, daß das Unternehmen floriert und daß alle Zukunftschancen wahrgenommen werden. Er muß auch nicht Rücksicht nehmen auf Aufsichtsräte und Generaldirektoren.

Der Eigentümer ist zugleich der »big boss«. Dieser wird nun, so möchte man meinen, das Steuer sofort herumwerfen, wenn er sieht, daß mit den bisherigen Produkten auf längere Sicht kein Gewinn mehr zu machen ist. Er würde also im Falle von Chrysler schon 1973 kleine Wagen produziert oder gar völlig neue Erfindungen verwertet haben, zumal er sich selbst immer noch als Pionier sieht. In Wirklichkeit jedoch spielt sich die Szene ganz anders ab.

Typisch ist der Fall von Herbert Gross. Herbert Gross, Jahrgang 1901, hat in den dreißiger Jahren in Deutschland auf dem Kamerasektor eine umwälzende Erfindung gemacht. Seine Patente verkaufte er nicht, sondern benutzte sie dazu, seine kleine

Präzisionswerkstätte zu einer recht ansehnlichen Fabrik auszubauen, die ihre Produkte weltweit erfolgreich absetzte. Schließlich beschäftigte Herbert Gross 5000 Mitarbeiter. Auch nach dem Kriege gelang es ihm, mit neuen Erfindungen und Patenten sein Produkt weltweit in den Spitzenrängen zu halten. Er wurde damit sehr reich, und da er bei verschiedenen technischen Hochschulen die Hoffnung wecken konnte, er werde einzelnen Professoren mit Spenden die Einrichtung neuer Institute ermöglichen, bekam er auch in den sechziger Jahren nacheinander zwei Ehrendoktorate. Eine kleinere TH ernannte ihn sogar zum Honorarprofessor. Man kann sich vorstellen, daß Prof. Dr. h. c. Dr. h. c. Herbert Gross im Rückblick auf seine Laufbahn ein sehr gesundes Selbstbewußtsein entwickelt hat. Dies führte u. a. dazu, daß er erst im Alter von 70 Jahren anfing, darüber nachzudenken, wer in seiner Firma sein Nachfolger werden solle. Seine Tochter, nunmehr 40 Jahre alt, war seit 15 Jahren mit einem bekannten Opernsänger verheiratet und hatte drei Kinder im Alter von 5–13 Jahren, das älteste ein Junge. Natürlich dachte Herbert Gross daran, seinem Enkel dermaleinst ein blühendes Unternehmen zu hinterlassen. Die Frage war nur, wie die Spanne zwischen Herbert Gross' Tod – an den er auch hin und wieder einmal dachte – und dem Zeitpunkt, in dem der Enkel wirklich fähig wäre, einem solchen Unternehmen vorzustehen, überbrückt werden könne.

Gross entschloß sich daher, nach Gesprächen mit Freunden im Country-Club und mit seiner ihm auch intim verbundenen Sekretärin, einen Top-Manager, der sich durch große Erfolge ausgezeichnet hatte, bei der Konkurrenz abzuwerben und als Statthalter einzusetzen. Die Wahl fiel auf Dr. ing. Hans Weber aus Wanne-Eickel. Die beiden wurden sich rasch einig, weil Dr. Weber mit einem Schritt sein Einkommen von 300 000 Euro auf 450 000 Euro verbessern konnte – ein solches Angebot gab es damals in der ganzen Bundesrepublik kein zweites Mal. Auch Dr. Gross war stolz darauf, einen Manager zu haben, der wirklich gut bezahlt war, so daß jeder sah, er, Gross, konnte sich das leisten.

Die Wahl war glücklich. Dr. Weber war als Branchenkenner innerhalb kurzer Zeit über alle Vorgänge im Unternehmen und dessen Struktur im Bild. So geschah es, daß er schon drei Monate später, nachdem er sich speziell um das firmeninterne Entwicklungspotential gekümmert hatte, mit einem Konzeptpapier anrückte, nach dessen Lektüre Herbert Gross nur deshalb nicht einem Herzanfall erlag, weil er ihn in einen Wutanfall umfunktionierte. Da wollte doch der frischgebackene Statthalter ihm weismachen, er müsse sein Lebenswerk der Konkurrenz verkaufen, und gar noch an Japaner! Und mit was für einer lausigen Begründung! In dem Papier stand:

»Unsere drei Hauptkonkurrenten, zwei in den USA, einer in Japan, beschäftigen im Sektor Forschung und Entwicklung je rund 100 Spezialisten, wir dagegen nur zwölf. Diese 300 Spezialisten werden zwangsläufig die Produktinnovation so schnell vorantreiben, daß wir auf längere Sicht mit unseren zwölf, wenn auch höher qualifizierten Spezialisten der Konkurrenz nicht mehr gewachsen sein werden. Das heißt: Spätestens in zehn bis fünfzehn Jahren werden wir vom Markt verdrängt sein, und dies wiederum bedeutet, daß der Generationenwechsel in der Führungsspitze der Firma nicht gewährleistet werden kann. Um die Substanz Ihres Lebenswerkes zu erhalten, schlage ich vor, daß Sie jetzt, in einer Phase, in der das Unternehmen noch kerngesund ist, Fusionsverhandlungen mit dem japanischen Konkurrenten Mikimara in Osaka aufnehmen.«

Bei diesem Vorschlag war Dr. Weber, ganz nach den Gesetzen der Manager, nicht völlig uneigennützig gewesen. Zwar war es richtig, was er in seinem Papier schrieb; zugleich aber dachte er natürlich auch an sein eigenes Wohl. Mit der japanischen Konkurrenz hatte er bereits vorsichtig Kontakte aufgenommen, deren lebhaftes Interesse festgestellt und dabei für sich die Vorstellung entwickelt, daß er in einem fusionierten Konzern von weit größeren Ausmaßen der Spitzenmanager für Deutschland und Europa würde. Insoweit also lief sein Interesse durchaus parallel mit dem Interesse des Unternehmens, dem er diente. Ehrlicherweise muß aber gesagt werden: Dr. Weber würde seinen Vorschlag sicherlich nicht gemacht haben, wenn ihm die Japaner zu verstehen gegeben hätten, es sei bereits ein anderer Manager für die von ihm nach einer Fusion angestrebte Position vorgesehen.

Als Weber am folgenden Tag bei der Intimsekretärin von Gross vorbeischaute, um zu hören, wie der Alte das Papier aufgenommen habe, geriet er in eine peinliche Situation. Dem Heulen nahe, überschüttete ihn Sonja, inzwischen auch schon fast 50 Jahre alt, mit Vorwürfen: »Wie können Sie es wagen, die Liquidation unseres Unternehmens, mit dem wir so fest verwachsen sind, vorzuschlagen, ohne jeden vernünftigen Grund; denn die Gewinne sind ja in den letzten Jahren ständig gestiegen. Und dabei war *ich* es noch, die dem Chef vorgeschlagen hat, ausgerechnet Sie unter den verschiedenen

Bewerbern auszuwählen. Wie konnte ich nur so dumm sein!«

Gross rief den nun schon ziemlich eingeschüchterten Dr. Weber in sein Büro. Gross war wütend gewesen, dann fast verzweifelt, jetzt aber wieder ganz gefaßt.

»Herr Dr. Weber, Sie sind die größte Enttäuschung meines Lebens. Ich wollte keinen Liquidator und schon gar nicht einen Totengräber anstellen, sondern einen Mann, der das Unternehmen auf dem bisherigen Weg weiter nach oben führt. Es dürfte auch Ihnen klar sein, daß eine Zusammenarbeit zwischen uns sinnlos geworden ist. Sie werden verstehen, ich bin jetzt nicht in der Lage, über Ihre Abgangsentschädigung zu verhandeln, aber bitte räumen Sie heute noch Ihr Büro. Ich kann Sie nicht mehr sehen.«

Webers Karriere als Manager war vorläufig beendet. Er fand während mehrerer Jahre keine Stelle mehr, nicht zuletzt deswegen, weil Herbert Gross, haßerfüllt, da zutiefst im Stolz auf sein Lebenswerk getroffen, bei befreundeten Unternehmern dafür sorgte, daß Dr. Weber als Versager galt. Immerhin konnte Weber später in einer anderen Branche einen etwas bescheideneren Posten bekommen, und schließlich, nach zehn Jahren, widerfuhr ihm die große Genugtuung, mit anzusehen, wie die Firma Herbert Gross nach mehreren verlustreichen Jahren und erfolglosen Sanierungsversuchen, nachdem sich natürlich auch die Banken von dem Unternehmen distanziert hatten, im Jahre 1981 an eben jene Japaner verkauft wurde, die Weber seinerzeit ins Gespräch gebracht hatte, nun jedoch zum Preis von nur noch 12 Mio Euro, während damals, da war Weber sicher, gut das Zehnfache zu haben gewesen wäre. Außerdem hatten inzwischen Redimensionierungen zum Verlust von 3000 Arbeitsplätzen geführt. Besonders wohl tat es Dr. Weber, daß dies alles noch zu Lebzeiten von Prof. Dr. h. c. Dr. h. c. Herbert Gross geschah; er ist dann aber ziemlich bald darauf gestorben, immerhin im gesegneten Alter von 81 Jahren.

Es ist nicht zu verkennen, daß Dr. Weber bei aller anerkennenswerten teilweisen Ehrlichkeit doch einige gravierende Fehler gemacht hat. Er kannte zwar das Unternehmen und dessen Zukunftschancen sehr genau, nicht aber den Chef. Hätte er ihn besser gekannt, so wäre er wahrscheinlich ganz anders vorgegangen, wenn er nicht überhaupt auf seine Zielvorstellung verzichtet hätte. Zunächst hätte er den »big boss« sorgfältig psychologisch vorbereiten und dann namentlich auch mit dem Erben Verbindung aufnehmen und eine Koalition bilden sollen. Dann wäre es ihm vielleicht, vielleicht gelungen, dem großen Gross den Blick nach vorn zu öffnen und ihn etwas davon abzubringen, nur immer von seinen früheren Erfolgen fasziniert zu sein. Aber bei Gross wäre auch diese Variante ziemlich unwahrscheinlich gewesen.

Ganz anders hätte es der 50jährige und schon etwas abgeklärtere Dr. Meier-Savigny gemacht. Dieser hätte nicht nur die Firma, sondern vor allem den Boß studiert. Er wäre, die Firma betreffend, zu den gleichen Schlüssen gekommen wie Dr. Weber, doch hätte er sofort eingesehen, daß ein so radikaler Vorschlag, wie ihn Dr. Weber machte, beim Boß nie ankommen würde. Also hätte er sich auf seine eigenen Interessen besonnen und dem Chef vorgeschlagen, z. B. drei hochqualifizierte junge Ingenieure für die Forschungs- und Entwicklungsabteilung zusätzlich einzustellen, um der drohenden Überrundung durch die Konkurrenz zuvorzukommen. Der Chef hätte dies sofort akzeptiert und Dr. Meier-Savigny für einen sehr fähigen und loyalen Mitarbeiter gehalten. Sich selbst hätte Dr. Meier-Savigny gesagt: Die nächsten zehn Jahre kann ich in dieser Firma noch bleiben, bis die ersten roten Zahlen auftauchen. Dann werden die anderen weitersehen können. Dr.

Meier-Savigny hätte sich also ganz ähnlich verhalten wie die 50jährigen Männer im Vorstand von Chrysler, die die Konstruktion eines compact cars vorschlugen, obwohl sie wußten, daß damit die Pleite der Firma nicht abgewendet werden konnte. Leider muß man sagen, daß das Verhalten von Dr. Meier-Savigny das typische ist und das Verhalten von Dr. Weber das untypische.

Das Gesetz, nach dem Prof. Dr. h. c. Dr. h. c. Herbert Gross unterging, ist freilich ein ganz anderes als dasjenige der 50jährigen Männer bei Chrysler und General Motors. Die 50jährigen Männer bei Chrysler und General Motors haben eindeutig und bewußt gegen das Interesse ihrer Firma gehandelt; auch Gross hat gegen das Interesse seiner Firma verstoßen, jedoch aus ganz anderen Gründen. Bei ihm beruhte die Unfähigkeit, die wirtschaftlich optimale Entscheidung zu treffen, nicht auf der Kollision zwischen dem Interesse des Managers und dem Interesse der Firma, sondern auf einem in ihm selbst angelegten Zwiespalt. Sein Stolz gestattete es ihm nicht, sich von seinem Lebenswerk zu trennen, bevor er dies dann doch, und nun unter demütigenden Umständen, tun mußte. Gross verhielt sich wie ein Patient, der einfach nicht wahrhaben will, daß er krank ist, und der eine ärztlich notwendige Operation immer wieder hinausschiebt, bis schließlich die Krankheit so schwer geworden ist, daß man sie entweder nicht mehr oder nur mit einer radikalen Amputation heilen kann.

Sollte sich der Leser für die wirtschaftlichen Gründe dieses Phänomens interessieren, so können wir ihm mitteilen, daß auch hier eine Gesetzmäßigkeit herrscht. Gross hatte eine Kamera erfunden mit einer neuen Linsentechnik und Spiegelreflex. Inzwischen besteht eine Kamera aus einer ganzen Reihe weiterer Techniken: Elektronik, Zeitmessung, Sucher usw. Diese vielfältige Technik kann nur ein Großunternehmen beherrschen, nicht aber die schließlich doch zu kleine Einmanngesellschaft von Herbert Gross.

Die grauen Mäuse

Manche wundern sich unentwegt darüber, daß höchste Managerstellen bis hinauf in die Generaldirektion und in die Aufsichtsräte fast ausschließlich mit Menschen besetzt sind, die man eigentlich nur negativ, durch die Eigenschaften, die ihnen fehlen, beschreiben kann. Die Engländer haben dafür einen allerdings nicht übersetzbaren Ausdruck: »just right«. Wir nennen diese Menschen hier ›die grauen Mäuse‹. Die grauen Mäuse fahren keinen Sportwagen, sie haben kein Verhältnis mit einem Mannequin, sie tragen keine poppigen Krawatten, sie haben höchstens einmal im Jahr einen Alkoholrausch, und dann auch keinen spektakulären. Die grauen Mäuse haben verhältnismäßig kurzgeschnittenes Haar, wenn nicht eine Glatze, und tragen keinen Bart. Die graue Maus ist mit einer adretten Frau verheiratet, niemals mit einer exaltierten oder gar einer Emanze. Die graue Maus betreibt nur Sportarten, die teuer und z. T. sogar vornehm sind, welch letzteres man z. B. daran erkennt, daß auch Prinz Charles sie betreibt oder als Zuschauer genießt. Diese Sportarten betreiben die grauen Mäuse nicht zum Vergnügen, wie sie überhaupt nichts zum Vergnügen tun, sondern um fit und in zu bleiben, fit für das Geschäft, versteht sich, und in für sich und die eigene Karriere. Der Mode folgt die graue Maus nur in sehr gemessenem Abstand, da die graue Maus ja Kontinuität gewährleisten muß, an langfristigen Überlegungen sich beteiligt und nicht vorübergehenden Trends verfällt. Bei den Kindern stößt dann allerdings die Selbstkontrolle der grauen Mäuse manchmal auf Grenzen. Es kann durchaus vorkommen, sehr zum Leidwesen der grauen Maus, daß der Sohn einen Bart trägt und bei einer linken Partei engagiert ist. Davon wird im Freundeskreis der grauen Mäuse natürlich nicht gesprochen.

Übrigens: Die graue Maus *muß* verheiratet sein, wenn möglich mit der bereits erwähnten »adretten Frau«; ein Lediger kommt sofort in den Geruch der Homosexualität oder der neurotischen Bindungsunfähigkeit und Kontaktschwäche. Auf keinen Fall ist die graue Maus geschieden; Ehescheidungen sind im Kreis der grauen Mäuse noch verpönter als in der katholischen Kirche. Dieser Konformitätszwang kann sich zu grotesken Formen steigern. Es gibt den Fall des Generaldirektors einer Großbank, der die falsche Frau geheiratet hatte und jahrelang in seiner Ehe schwere Leiden durchmachte. Schließlich konsultierte er seine Kollegen aus der Generaldirektion, klagte ihnen sein Leid und erreichte, daß sie seiner Scheidung zustimmten. Erst darauf konnte er sich erleichtert zum Scheidungsrichter begeben. Der Rat der Kollegen gegenüber dem Scheidungskandidaten lag natürlich strikt im Interesse des Unternehmens: Ein Manager, der zu Hause Probleme hat, ist nicht voll einsatzfähig.

Die Macht liegt in allen Managements bei den grauen Mäusen. Diese bilden die überwältigende Mehrzahl, und sie achten peinlich darauf, daß einer, der nicht zu ihnen gehört, also nicht auch eine graue Maus ist, nie oder nur unter größten Schwierigkeiten in ihre Reihen vordringt. Warum eigentlich? Die Erklärung ist einfach. Die grauen Mäuse sind der festen, fast religiösen, letztlich wohl puritanischen Überzeugung, daß sie ihre ganze Arbeitskraft, ihr ganzes Denken und Fühlen dem Unternehmen gewidmet haben und dafür als Belohnung ein hohes Gehalt beziehen. Dieses Geld darf aber nicht zum eigenen Vergnügen verwendet werden, sondern wiederum nur pflichtbewußt in allgemein anerkannten Statussymbolen angelegt werden: einem Haus im Grünen, einem Ferienhaus zum Kräftesammeln, einem Mercedes und einem etwas kleineren Wagen für die Frau. Gestattet sind ferner alte Stiche an den

Wänden, einige Antiquitäten, eventuell noch ein kleines, nicht zu billiges und nicht zu teures Hobby, wie etwa eine Münzen- oder Briefmarkensammlung. Die Frau trägt nur solchen Schmuck, der deutlich auf die feste eheliche Bindung hinweist, und nichts darüber hinaus, also einen schönen Brillantring von der Verlobung her, einen gediegenen Ehering und sonst noch ein paar unauffällige Stücke; niemals trägt sie Schmuck, der etwa das Auge eines Betrachters erquicken könnte. Die Frauen haben es überhaupt schwer. Sie müssen elegant, sehr gepflegt, dürfen sogar ein bißchen mondän sein, keinesfalls dem Hausmütterchen-Typ angehören; streng verboten ist jedoch jede Art von Extravaganz, besonders wenn damit zugleich Lebensfreude gezeigt wird. Der Schmuck darf höchstens soliden Anlagewert reflektieren, und auch das nur bis zu einem gewissen Grade. Mit einem Smaragdarmband im Werte von einer halben Million Franken würde die Frau der grauen Maus diese und sich selbst für immer unmöglich machen.

Seit einigen Jahren gehört es auch zum Bild der grauen Maus, daß sie Nichtraucher ist oder höchstens, auf dem Weg zum Nichtraucher, Pfeifenraucher. Früher waren die meisten Zigarettenraucher; die wenigen Pfeifenraucher galten als zu gemütlich, um in höhere Managerpositionen aufzurücken. Der Trend zum Nichtrauchen kommt aus Amerika; es gilt nun jemand, der nicht raucht, jedenfalls in den germanischen Ländern Europas, als seriös und willensstark, also auch qualifiziert für höchste Führungspositionen. In Frankreich und Italien ist die Unsitte des Nichtrauchens schon deshalb nie eingerissen, weil in katholischen Ländern auf Selbstdisziplin so nicht viel gegeben wird.

Nun wird sich der Leser fragen, wie sich denn die Manager eines großen Zigarettenkonzerns dem Zigarettenrauchen gegenüber verhalten. Die Antwort lautet: In der Zigarettenindustrie muß selbst der Nichtraucher rauchen, und zwar eine derjenigen Zigarettenmarken, die der Konzern herstellt und vertreibt. Die Liebe zum eigenen Produkt, der Gebrauch des eigenen Produktes ist für jeden Manager höchstes Gebot. Und dieses Gebot gilt sogar für Frau und Familie, was zu enormen Schwierigkeiten und Störungen führen kann, z. B. wenn die Frau des Managers eines Konzerns, der Trikotwaren herstellt, gezwungen ist, diese Trikotwaren mindestens immer dann zu tragen, wenn andere Firmenmitglieder zugegen sind. Die Produkttreue muß bis zur totalen Überforderung durchgehalten werden. Sie ist vor allem dort äußerst strapaziös, wo der vom Manager geleitete Konzern mit Absicht billige Massenware herstellt. Dann gerät sie in schärfste Kollision mit dem Statusbewußtsein des Managers, das er ja ebenfalls pflegen muß. Die Treue hat den Vorrang: Der Manager eines Unternehmens, das nur Kleinautos produziert, wird, weit unter seinem Status, genau dieses Kleinauto fahren müssen und kein anderes. Dieses Opfer wird von ihm auf jeden Fall verlangt.

Besonders problematisch wird die Norm der Produkttreue dort, wo das Produkt gesundheitsschädlich ist und in einem gewissen Ruf der Unmoral steht, wie gerade bei den Zigaretten. Da bietet sich als Ausweg das Argument, man kämpfe eigentlich mit dem Produkt für die Gesundheit, indem man gerade in letzter Zeit die nikotinarme Zigarette forciere oder die kalorienarme Schokolade. Da in unserer inspirationslosen Zeit Gesundheit und Moral identisch geworden sind, findet das Gesundheitsargument immer breitere Verwendung, sogar bei den Pharmakonzernen, die lauthals betonen, daß sie gegen den Mißbrauch von Schmerzmitteln und Tranquilizern usw. sind. Gegen die Rezeptpflicht *wehrt* man sich zunächst, solange es geht; vor allem ist man aber daran interessiert, daß die Pharmaka nur über Ärzte und Apotheker vertrieben werden können und nicht etwa im Warenhaus landen. Denn nur Ärzte und Apotheker bieten Gewähr dafür, daß das Produkt in verantwortlicher Weise gehandelt wird und daß die Gewinnspannen in verantwortlicher Weise hoch bleiben.

Auf einer etwas anderen, aber ebenfalls moralischen Ebene argumentieren z. B. die Großbanken, wenn sie verlangen, daß das Kleinkreditgewerbe ausschließlich von ihren Tochtergesellschaften betrieben wird. Nur Großbanken sind bekanntlich durch und durch seriös. Natürlich wäre es nicht vornehm, wenn eine Großbank das Kleinkreditgeschäft selbst betriebe; aber ganz aus der Hand geben möchte sie es auch nicht – denn dort liegen große Gewinne; also wird es von der etwas weniger vornehmen, aber doch immer noch seriösen Tochter betrieben.

Da es der grauen Maus verboten ist, irgendwelche auffälligen äußeren Statussymbole zu tragen, befindet sie sich in einem dauernden Frust; denn sie möchte ja doch, z. B. wenn sie in ein Restaurant geht, mühelos als wichtige Person erkannt und auch dementsprechend behandelt werden. Wie soll ein einfacher Kellner bei einer grauen Maus merken, daß es sich um eine VIP handelt? Udo Jürgens und jede Fernsehansagerin hat er natürlich schon gesehen, und er wird solche Personen sofort an den besten Tisch bitten. Nun kommt die viel wichtigere graue Maus und soll in einer hinteren Ecke plaziert werden. So etwas wird selbstverständlich nie geschehen, weil die graue Maus damit rechnet und es zu verhindern weiß. Da es äußerst unfein wäre, wenn Generaldirektor Greymouse, was allerdings bei weniger raffinierten Typen doch auch hin und wieder passiert, sich um den besten Tisch im Restaurant selbst raufte, indem er lauthals verkündete, welche Stellung er in der Wirtschaft einnimmt, muß er einen Umweg wählen und seinen Auftritt vorbereiten lassen, ganz anders als Udo oder Curd Jürgens, die eben schon wegen der Sichtbarkeit ihrer Prominenz auch im Restaurant an der richtigen Stelle plaziert werden. Generaldirektor Greymouse ist also gezwungen, seine Sekretärin zu beauftragen, im Restaurant den gewünschten besten Tisch telephonisch zu bestellen, indem sie ganz plump sagt, daß es sich bei dem Kunden um Generaldirektor Greymouse handelt. Erst wenn Greymouse zum zweiten Mal in dasselbe Restaurant kommt, wird ihn der Kellner wiedererkennen und so behandeln, wie er es verdient.

Früher waren diese Dinge wesentlich einfacher; da trug jeder, militärisch oder zivil, die Uniform, die seinem Stand entsprach. Da hatten auch die Kellner keine Probleme.

Wehe dem Generaldirektor, der versuchen wollte, durch besonders weltmännisches Gehabe, über das er ja tatsächlich verfügt, sich den besten Tisch im Restaurant sur place zu verschaffen. Er würde sofort für einen Hochstapler gehalten werden, da über weltmännische Manieren bekanntlich Hochstapler eher verfügen als diejenigen, die sich mit Recht auf Weltmännertum berufen dürfen. Dies ist seine besondere Frustration: Er muß ständig erleben, daß Leute, die weit weniger Macht haben als er, z. B. ein Schlagersänger oder ein Fußballspieler, auf der normalen sozialen Ebene viel besser behandelt werden als er. Aber wir haben ja bereits gesagt, daß das Leben eines Managers zur Hauptsache aus Entbehrungen besteht.

Die grauen Mäuse werfen jedem, der nicht zu ihnen gehört, vor, daß er elementar gegen ihre ernsthaften Prinzipien verstößt. *Genießt* dieser z. B. sein Einkommen, statt es nach Vorschrift in den akzeptierten Symbolen anzulegen, so beweist er dadurch, daß er kein ernsthafter und zuverlässiger Mensch ist. Wer einen Sportwagen fährt und mit schicken Freundinnen ausgeht, womöglich bis nach Mitternacht, der bringt die Opfer nicht, die von der

Zunftordnung verlangt werden. Zugleich erregt er heimlichen oder offenen Neid; irgendwann wird man es ihm heimzahlen.

Wiederum müssen wir eine weitverbreitete und uns allen ans Herz gewachsene Vorstellung zerstören. Die freie Wirtschaft, meint man, lebt und wächst durch das Walten von vielen einfallsreichen, kreativen, unkonventionellen Typen, die eben wegen dieser ihrer Eigenschaften die Produktivität unserer Wirtschaft gewährleisten. Das Gegenteil ist leider der Fall. Zwar gibt es tatsächlich die kreativen, einfallsreichen und fleißigen Typen, sonst gäbe es ja auch nicht die immer neuen Produkte, mit denen unablässig neue wirkliche oder vermeintliche oder künstlich hervorgerufene Bedürfnisse befriedigt werden. Diese Typen aber haben praktisch nie Machtpositionen im Apparat eines Unternehmens inne; sie sind Außenseiter, die irgendwo in einem Labor herumbasteln, aus lauter Spaß an der eigenen Kreativität, oder sie stehen noch tiefer, sind junge Wissenschaftler oder Techniker, die Neues hervorbringen, weil sie Freude haben an ihrer eigenen schöpferischen Energie und an dem Werk, das ihnen nachher von den grauen Mäusen weggenommen und zur Vermarktung weitergegeben wird.

Die grauen Mäuse sind unproduktive, reine Machtverwalter. Die Macht ist ihr eigentliches Fachgebiet. Da kennen sie sich aus, viel besser als in den Produkten und in der kommerziellen Entwicklung der Firma. Ihre Arbeit ist denn auch fast zur Hälfte dem Power Play gewidmet. Nun möchte man meinen, die grauen Mäuse griffen unentwegt nach der Macht und lägen in einem ständigen Kampf aller gegen alle. So einfach verhält es sich freilich nicht.

Der Kampf unter den grauen Mäusen ist aus zwei Gründen sehr schwer zu beschreiben. Zum einen findet er nicht offen statt, sondern gewissermaßen als Kalter Krieg; zum anderen kämpfen die grauen Mäuse nie wie Winkelried oder David und andere biblische Figuren als Einzelkämpfer, sondern immer nur im Verband. Jede graue Maus sucht sich, wenn sie etwas gegen Widerstand erreichen will, eine Koalition aus, von der sie glaubt, daß sie als stärkere Gruppe es ihr ermöglichen könne, die Karriere zu fördern und mögliche Konkurrenten auszuschalten. Da alle höheren Positionen immer von mehreren begehrt werden und jeder der Petenten eine Koalition sucht, die ihn unterstützt, gibt es auch wie von selbst immer mindestens zwei Koalitionen, die sich bekämpfen. Der Kampf findet allerdings nicht offen statt, sondern wird im leisen Aufbau von Machtkonstellationen ausgetragen. Es muß gelingen, den Gegner ins Abseits zu manövrieren, nicht ins Jenseits. Das Ganze ist ein Stellungsspiel. Der offene Kampf findet deshalb fast nie statt, weil schon vorher die Konstellationen so klar sind, daß man weiß, wer den Kampf gewinnen und wer ihn verlieren würde.

Mit guten oder schlechten Leistungen hat das ganze Spiel natürlich überhaupt nichts zu tun. Wenn Direktor Broder sich in einer guten Koalition befindet, so wird er zum Generaldirektor befördert, auch wenn er zuvor Millionenverluste erwirtschaftet hat; denn die Koalition wird dem Aufsichtsrat die Verluste stets entweder verschleiern oder mit unabänderlichen Fakten wie Währungsschwankungen usw. erklären können. Ist Direktor Broder dagegen in der falschen Koalition, dann helfen ihm auch Millionengewinne nichts, die er in seiner Abteilung erwirtschaftet hat; denn dann werden diese Gewinne dem Zufall oder sogar dem Verdienst seines Gegners zugeschrieben.

Der Zusammenhalt in einer Koalition hat schließlich den ungeheuren Vorteil, daß bei Pannen, wie sie immer wieder vorkommen, die Verantwortung sich so verteilen läßt, daß sie nicht mehr lokalisierbar ist.

Es gibt zwei wichtige Situationen, in denen Macht errungen oder neu verteilt wird und in denen die grauen Mäuse immer die Gewinner sind.

Die erste Situation ist die, wo entschieden werden muß, welcher von den drei Direktoren Fröhlich, Ehrsam und Grauer zum Generaldirektor befördert werden soll. Der Aufsichtsrat, der natürlich mehrheitlich aus grauen Mäusen besteht, wird die Frage des langen und breiten diskutieren. Aufsichtsratmitglied Kühn, ein Außenseiter, wie man sie sich manchmal geradezu als Luxus hält, vielleicht auch zur Tarnung, wird nicht ganz unerwartet Direktor Fröhlich vorschlagen, dessen Initiative, Dynamik, Originalität und Kreativität eigentlich allseitig unbestritten sind. Nun stellt sich freilich die Frage, wie es Direktor Fröhlich, obwohl er offensichtlich keine graue Maus ist, überhaupt zum Direktor gebracht hat. Hier spielen zwei Regeln eine Rolle: Die Alibiregel und das Leistungsprinzip. Einerseits wollen auch die grauen Mäuse nicht alles grau in grau haben und immer wieder darauf verweisen können, daß unter ihnen auch bunte Vögel sitzen. Andererseits ist das Unternehmen schließlich doch auch auf echte Leistungen angewiesen, wie sie Direktor Fröhlich erbracht hat.

Im Aufsichtsrat läuft nun die Sache folgendermaßen. Zunächst erklären mehrere Mitglieder, sie seien dem Vorschlag gar nicht abgeneigt, hätten ihn sogar selbst machen wollen, wenn dies nicht Kühn schon getan hätte. Fröhlich wird von allen gelobt; herausgestrichen wird seine Dynamik, sein unkonventioneller Führungsstil, seine manchmal sehr joviale Art; er wäre für die Generaldirektion zweifellos im höchsten Maße qualifiziert. Allerdings dürfe man, sagt Aufsichtsrat Bitterli, Brillanz nicht unbedingt mit Dynamik verwechseln. Das heiße natürlich keineswegs, daß er den Herrn Fröhlich für einen Bluffer halte. (Jetzt steht und bleibt das Wort »Bluffer« im Raum.) Auf der anderen Seite müsse doch auch bedacht werden, daß der neue Generaldirektor zum Stil der allgemeinen Führung des Hauses passen müsse, was auf der höheren Führungsebene noch entscheidender sei als bei unteren Chargen. Aufsichtsrat Blass, ebenfalls eine graue Maus, hat vorher mit Direktor Fröhlich gesprochen und ihm in Aussicht gestellt, daß er sich in der Sitzung für ihn einsetzen werde. Da er nun sieht, daß die anderen grauen Mäuse im Aufsichtsrat gegen Fröhlich stimmen werden, ist es für ihn völlig gefahrlos geworden, sich seinem Versprechen gemäß für Fröhlich zu verwenden:

»Also ich finde, wir können es uns schon einmal leisten, auch einen Typ in der Generaldirektion zu haben, der einen etwas weniger orthodoxen Stil pflegt, als wir es bisher gewohnt sind, der einen frischen Wind bringt und vielleicht eine gewisse Unruhe stiftet. Unruhe aber ist allemal schöpferisch. Wir dürfen also ruhig auch die nicht zu leugnende Sprunghaftigkeit von Direktor Fröhlich in Kauf nehmen, zumal er ja in einem Kollektiv, wie es die Generaldirektion nun einmal ist, in wichtigen Sachfragen immer überstimmt werden kann.«

Nun tritt die graue Maus Stark auf den Plan: »Wie ich Ihren Voten entnommen habe, meine Herren, verhehlen Sie nicht gewisse Bedenken gegenüber Herrn Direktor Fröhlich, die ich nun doch offen formulieren möchte. Herr Fröhlich mag ein brillanter Mann sein, ich möchte ihn keineswegs als Bluffer bezeichnen. Doch muß ich nun ganz deutlich sagen, daß Direktor Ehrsam (eine graue Maus) die Qualitäten von Fröhlich ebenfalls aufweist, wenn auch möglicherweise in weniger auffälliger Form. Meine Herren, wir alle haben die beiden Kandidaten seit gut fünf Jahren beobachten können, und wenn wir auf die Leistungen abstellen, so muß man doch zugeben, daß Herr Ehrsam in keiner Weise gegenüber Herrn Fröhlich abfällt. Nie ist eine Panne in seiner Abteilung vorgekommen – das gleiche läßt sich auch von Herrn Fröhlich sagen –, aber Sie müssen mit mir darin übereinstimmen, daß das Persönlichkeitsrisiko bei Herrn Ehrsam wesentlich geringer ist. Daß Herr Fröhlich einen Porsche fährt, stört mich nicht im geringsten; aber ich würde doch meinen, daß es nicht ganz zufällig ist, wenn er auch noch, wie wir alle wissen, familiäre Schwierigkeiten hat. Ich möchte nochmals betonen, daß dies für mich in keiner Weise ein entscheidender Punkt ist: Ich werde nicht gegen Herrn Fröhlich stimmen, wohl aber für Herrn Ehrsam. Schließlich sind auch die Zeiten, in denen wir leben, nicht für Experimente geeignet, und ich möchte klar zu Protokoll geben, daß ich ganz entschieden für Herrn Ehrsam eingetreten bin.« Bei diesem Votum hatte der Redner reihum seinen Gesprächspartnern ernst in die Augen geschaut, was die Eindrücklichkeit seiner Ansprache effektvoll unterstrich. Zum Schluß sagte er: »Für mich und sicher auch für Sie, meine Herren, ist immer noch die Stabilität und kontinuierliche Weiterentwicklung des Unternehmens der oberste Wert. Mehr brauche ich wohl nicht zu sagen.«

Danach war es klar, daß die graue Maus Ehrsam zum Generaldirektor gewählt wurde.

Direktor Fröhlich reichte nach einem halben Jahr seine Kündigung ein. Er hatte den Wink verstanden. Natürlich wurde der leere Platz von einer noch ziemlich jungen grauen Maus eingenommen. Fröhlich selbst wurde Generaldirektor der europäischen Filiale eines expandierenden japanischen Unternehmens.

Der Aufsichtsrat des Unternehmens sah sich in seiner mehrheitlichen Ansicht bestätigt, und selbst Herr Kühn hätte sich jetzt für den ehemaligen Direktor nicht mehr eingesetzt. Stark erklärte in der folgenden Sitzung, außerhalb der Geschäftsordnung, versteht sich: »Ich komme mir vor wie der Reiter über den Bodensee – wenn Sie die Geschichte nicht kennen, werde ich sie Ihnen nachher erzählen –, Gott sei Lob und Dank, haben wir Direktor Fröhlich damals nicht zum Generaldirektor gemacht. Wir haben Glück gehabt, meine Herren, daß mein Vorschlag, den Sie schließlich zum Beschluß erhoben, durchgedrungen ist. Wie sich inzwischen gezeigt hat, hat Herr Fröhlich die beleidigte Leberwurst gespielt und nicht einmal die minimale Solidarität mit der Firma an den Tag gelegt, die wir auch beim letzten Mitarbeiter als selbstverständlich betrachten.« Stark hat dieses Votum, das ja hinterher eigentlich nichts mehr bewirken konnte, nicht ganz zufällig abgegeben. Er konnte damit seine Stellung im Aufsichtsrat um einiges stärken. Erstens würde Kühn mindestens auf absehbare Zeit keine unkonventionellen Vorschläge mehr unterbreiten, ohne sich zuvor der Zustimmung von Stark versichert zu haben, und zum zweiten konnte Stark auf eine Entscheidung verweisen, bei der er, wie alle glaubten, seine Weitsicht einmal mehr unter Beweis gestellt hatte.

Das zweite Szenario, bei dem die grauen Mäuse einen Machtvorsprung erreichen und ausbauen, ist dasjenige des Gruppenkampfes innerhalb eines Unternehmens. Dazu ein Fall.

In einem großen Unternehmen der Maschinenbauindustrie gab es zwei bedeutende Gruppen von Aktionären und eine noch größere Menge von Kleinaktionären. Auf die Kleinaktionäre kommt es in solchen Fällen überhaupt nicht an; ihre Stimmen sind ohnehin verloren oder laufen zu den Banken. Die eine Aktionärsgruppe mit 30% der Stimmen wurde von einer Großbank angeführt; die andere Gruppe, mit etwa 20%, bildeten die Nachkommen der ursprünglichen Gründer. Die beiden Gruppen verstanden sich nicht, hatten verschiedene Vorstellungen über die weitere Entwicklung des Unternehmens, und beide versuchten, einen Mann ihres Vertrauens an die Spitze des Unternehmens zu bringen, der dann die Unternehmenspolitik in ihrem Sinne bestimmen würde. Solche Männer, die mit einem Unternehmen entschieden in eine bestimmte

Richtung fahren, sind von Natur aus keine grauen Mäuse, sondern schwarze Wölfe oder bunte Vögel, wie man will. Natürlich wußten beide Gruppen, daß sie niemals einen schwarzen Wolf bzw. einen bunten Vogel der anderen Gruppe an der Spitze dulden könnten, weil sie dann ihre Macht verlören. Anderseits waren beide Gruppen einsichtig genug, das Unternehmen nicht an ihrem Streit zugrunde gehen zu lassen. Es ist eine alte salomonische Bauernweisheit, daß man beim Streit um die Milchkuh diese nicht einfach in zwei Teile teilt, jedenfalls nicht, solange sie Milch gibt.

Die Kuh in unserem Falle gab noch Milch, doch wäre dies beinahe durch die graue Maus verhindert worden, die später als Kompromißkandidat der beiden Gruppen an die Spitze berufen wurde. Es handelte sich um Herrn Kummerer. Herr Kummerer war eine idealtypische graue Maus; nicht besonders befähigt, aber solide. Als die beiden Aktionärsgruppen aufeinander losgingen und ihre Kandidaten präsentierten, war Kummerer einer von fünf Generaldirektoren des Unternehmens, wahrscheinlich der unauffälligste von allen. Er hatte sich nie für eine bestimmte Aktionärsgruppe engagiert, ebensowenig für eine bestimmte Unternehmenspolitik; in allen Fragen war er neutral. Diese Neutralität hatte ihm schließlich dazu verholfen, von beiden streitenden Aktionärsgruppen akzeptiert und gewissermaßen als Schiedsrichter eingesetzt zu werden, ganz ähnlich wie manche streitenden Staaten die Schweiz als Konferenzort wählen, weil sie angeblich neutral ist. Auf Kummerer konnte man sich einigen. Der Kompromiß war für die Aktionärsgruppen akzeptabel, für das Unternehmen jedoch verheerend. Die graue Maus Kummerer blieb auch als Spitze des Unternehmens eine graue Maus, obwohl es dem Unternehmen nicht mehr gutging und klare Entscheidungen über die weitere Unternehmenspolitik notwendig gewesen wären. Solche schob die graue Maus gemäß dem Gesetz der 50jährigen Männer vor sich her – die Aktionärsgruppen wurden mit ungenauen Informationen beliefert und mit vagen Hoffnungen auf eine bessere Zukunft vertröstet –, und schließlich kam das Unternehmen in die roten Zahlen, worüber die beiden Machtgruppen sich wunderten, obwohl sie es hätten voraussehen müssen.

Es kam dann eine ganz neue Wende: Die Aktienkurse fielen so tief, daß ein Spekulant das ganze Unternehmen aufkaufte und die graue Maus in die Wüste schickte.

Bald fand die graue Maus Kummerer jedoch auch in der Wüste eine Oase. Die Aktionärsgruppe Banken, der er nie weh getan hatte, erinnerte sich wohlwollend seiner und entsandte ihn als Spitzenmanager in ein neues (von der Großbank abhängiges) *gesundes* Unternehmen, wo er kein Unheil anrichten kann und das er heute noch getreulich verwaltet.

Die Headhunter

Letztes Ziel jedes Wirtschaftsmenschen ist es, verantwortungsvolle Funktionen zu übernehmen, ohne je die Konsequenzen dieser Verantwortung tragen zu müssen, wenn etwas schiefgeht. Diesen Traumjob haben die Headhunter erreicht, die sich selbst Management-Consultants nennen und auch so genannt werden wollen. Während die eigentlichen und echten Management-Consultants teilweise eine ernsthafte Aufgabe wahrnehmen, indem sie z.B. leitenden Unternehmen manchmal richtige, manchmal falsche Rezepte verschreiben, sind die Headhunter reine Menschenhändler, wobei wir davon ausgehen, daß auch Manager Menschen sind.

Wie alles, was mit Vermarktung (engl.: Marketing) zu tun hat, sind auch die Headhunter, unaufhaltsam wie Coca-Cola und McDonald's, ursprünglich von den USA nach Europa gekommen. Man kann sogar sagen, daß die Headhunter anfänglich, als es fremde Märkte noch zu erobern galt, eine gewisse Funktion hatten, weil die großen amerikanischen Konzerne, die zuerst im eigenen Land, später in fremden Ländern expandieren wollten, keine

Leute hatten, die sich auf den fremden Märkten und den damit verbundenen Umständen wie Sprache, Politik, Korruption usw. auskannten. Aus diesem Bedürfnis entstand der Beruf des Headhunters, der am Ort die nötigen Beziehungen hatte oder erwarb, um die örtlichen Manager zu rekrutieren, die sich eben in Sprache, Politik, Korruption usw. auskannten. Fremde Länder lassen sich nur erobern, wenn zuvor Kundschafter ausgeschickt und Überläufer gefunden worden sind. Zuerst muß jemand da sein, der die Leute kennt, und dann erst können die kommen, die sie beherrschen. Die Headhunter übernehmen die Aufgabe des Auskundschaftens, und sie sind es, die die Überläufer aus dem örtlichen Management finden, die bereit sind, zu besseren Bedingungen für die Eroberer zu arbeiten.

Ohne die Kundschafter und Überläufer kann ein fremder Markt nicht erobert werden. Man kann nicht einfach von einem Tag auf den anderen von Amerika aus in Deutschland oder Frankreich Coca-Cola verkaufen. Bei den Deutschen würde das vielleicht noch irgendwie funktionieren, bei den Franzosen aber keineswegs. Also muß jemand da sein, der den Franzosen Coca-Cola auf französisch näherbringt, es gewissermaßen geschmacklich ins Französische übersetzt und außerdem noch die immensen Schwierigkeiten mit den Behörden überwindet, die immer nationalistisch und fremdenfeindlich sind, nicht nur in Frankreich, sondern sogar in Deutschland, von der Schweiz ganz zu schweigen.

Was machen die Spione, wenn das Land, das sie ausgekundschaftet haben, erobert ist? Meistens werden sie auf irgendeine unauffällige Weise beseitigt. Nicht so die Headhunter. Während der Spion nicht mehr nötig ist, nachdem er seinen Dienst getan hat, sind die Headhunter immer noch unentbehrlich. Sie dienen nunmehr dazu, Alibireaktionen abzusichern. Wenn ein Topmanager vor der Frage steht, welchen von 15 Bewerbern um einen Direktorenposten er einstellen soll, muß er von vornherein daran denken, daß er, falls der neue Mann sich nicht bewährt, die Verantwortung auf einen anderen abschieben kann. Dafür stellen sich die Headhunter zur Verfügung. Außerdem kann mittels des Headhunters Objektivität vorgetäuscht werden, besonders dann, wenn man einen persönlichen Günstling protegieren will. Dann wird man dem Headhunter zu verstehen geben, daß er den Günstling doch mindestens in die engere Wahl ziehen solle; natürlich wolle man seine Entscheidung in keiner Weise beeinflussen. Der Headhunter weiß dann genau, was er zu tun hat. Der Günstling wird vorgeschlagen und bekommt den Posten.

Mit zunehmender Größe und Unübersichtlichkeit der wirtschaftlichen Konzerne werden die »Entscheidungsabnehmer« und »Alibiträger«, von denen die Headhunter neben den echten Management-Consultants die wichtigsten sind, immer mehr Gewicht bekommen.

Nehmen wir das Beispiel von Erwin C. Keller. Erwin C. Keller war in seinen jungen Jahren eher weniger bedeutend als Gleichaltrige, aber cleverer, und er dachte sich bei den Vorgängen, die er beobachtete, und dies waren ausschließlich Geldsachen, eine ganze Menge. Erwin – den zweiten, nur als Initiale existierenden Vornamen legte er sich erst später zu – sah, daß überall, wo wirkliche Macht ausgeübt und Geld gemacht wurde, graue Mäuse saßen und daß überall die bunten Vögel zwar das Futter brachten, aber immer auch nur für die grauen Mäuse. Erwin richtete sich wie jedes Lebewesen, das überleben will, nach den Futterstellen aus. Seine spätere Berufserfahrung als Headhunter war die: wo immer er bunte Vögel präsentierte, wurden diese vom Management abgeschossen. Und wo immer er graue Mäuse vorzeigte, hatten diese Erfolg. Damit fand Erwin C. Keller zu seiner Lebensweisheit: Es lohnt sich nicht, bunte Vögel oder sonstwie originelle Typen zu präsentieren, sondern Erfolg hast du nur mit grauen Mäusen. Danach richtet sich auch seine Geschäftspolitik: nur graue Mäuse präsentieren, bunte Vögel höchstens in Reserve halten für irgendwelche spinnigen Alleinherrscher, die sich solche noch leisten können. Bei alledem weiß Keller nicht, daß er in einer Art von Recycling durch das Hin- und Herschieben von grauen Mäusen das System der grauen Mäuse zementiert und total abdichtet. Vielmehr vermeint er, den Unternehmen, die er mit grauen Mäusen versorgt, Blutauffrischungen zu verordnen. Aber solche Illusionen gehören zu jedem Managerdasein.

Zugleich verhält er sich dabei wie die 50jährigen Männer: Es fällt ihm zwar gar nicht ein, so zu denken, aber wenn er es täte, würde er sich sagen: Was soll ich den Unternehmungen Leute mit Dynamik und Kreativität aufdrängen, wenn die Unternehmen sie gar nicht wollen, weil sie eben von grauen Mäusen beherrscht sind. Und graue Mäuse wollen graue Mäuse.

Keller wird sich auch nie eingestehen, daß seine Tätigkeit, gesamtwirtschaftlich gesehen, völlig nutzlos ist. Da er nicht einmal den Einfall, geschweige denn den Mut hat, den Kreislauf der grauen Mäuse zu unterbrechen, verpaßt er auch die einzige Möglichkeit, seiner Tätigkeit einen gewissen Sinn zu geben. Was er betreibt, ist eigentlich nur ein Karussell: Es kommen immer wieder dieselben Tiere.

Dabei geht es ihm selbst natürlich glänzend. Und zwar in jeder Situation. Er verdient am Boom, und er verdient an der Rezession. Im Boom werden zusätzlich Führungskräfte gebraucht; in der Rezession werden Führungskräfte, denen man die Sündenbockrolle zuschiebt, gefeuert und anderswo von Keller wieder untergebracht, wo sie die gleichen Fehler erneut begehen können, vorausgesetzt, sie haben überhaupt Fehler begangen. Dabei verdient Keller gleich zweimal: Er kassiert für die Ersetzung des Sündenbocks, und er kassiert vom Unternehmen, an das er den gefeuerten Sündenbock weitervermittelt.

Startbedingungen und Aufstieg

Um Topmanager zu werden, muß man von Eltern abstammen, die einem eine Ausbildung verschaffen, in der Hoffnung, der Sohn werde es weiter bringen als man selbst. Der Weg führt über das Gymnasium zum Abitur und nachher unbedingt über das juristische oder das ökonomische Studium.

Wer aus begütertem Hause kommt – der Vater war schon oder ist noch Topmanager –, hat an sich ideale Startbedingungen, ist aber weniger motiviert, diesen Aufstieg, der normalerweise zum Topmanager führt, zu unternehmen. Wer in einer Villa mit Gemäldesammlung aufgewachsen ist, wird weniger den Ehrgeiz entwickeln, sich diese Dinge zuzulegen, die er schon hat.

Für das Unternehmen ist es gut, wenn der Manager ein Aufsteiger ist, der sich nach allen jenen Statussymbolen sehnt, die er noch nicht besitzt und die er nur erwerben kann, wenn er durch ständige Anpassung und fleißigen Dienst in der Firma hinaufstrebt. Der Aufsteiger ist erpreßbar, weil er hungrig ist nach immer mehr Geld und mehr Macht, und so pflegte Erwin C. Keller zu sagen: Die Leute, die ich vermittle, müssen hungrig sein.

Der Sohn eines Topmanagers ist nicht hungrig. Auf der anderen Seite fehlt ihm auch die Motivation des Sohnes eines Einmannunternehmens, nämlich das Dynastiegefühl. Der Sohn des Eigentümers des Einmannunternehmens braucht natürlich nicht aufzusteigen und will es auch nicht – er ist ja schon oben –, aber er wird sich mit ähnlichem Eifer wie sein Vater dem Unternehmen widmen, weil er das Erbe weitertragen will. Der Vater jagt ihn nur durch eine Pseudokarriere im Unternehmen, um sagen zu können, sein Sohn habe von der Pike auf gedient und sei keineswegs als Erbe hochgekommen. Damit die Fiktion der Scheinkarriere beim Publikum möglichst gut ankommt, wird der Vater den Sohn womöglich noch tiefer unten anfangen lassen als irgendeinen anderen, z. B. in der Packerei oder als Magaziner im Lagerhaus, also in einer Position, in die ein außenstehender Aufsteiger nie gedrängt würde. Das Ganze ist für den Kenner natürlich ein reines Theater. So weiß z. B. der Chef des Lagers genau, wie er mit dem Sohn des Eigentümers umzugehen hat, obwohl ihm der Vater deutlich eingeschärft hat, er solle den Sohn auf keinen Fall schonen, sondern ihn besonders hart drannehmen. Obwohl für den Sohn die Zeit im Lager ursprünglich auf zwei Monate bemessen war, kommt der Lagerchef schon nach sechs Wochen zum Vater und erklärt ihm: »Herr Doktor Heimann, ich kann Ihnen nur die höchsten Komplimente machen über Ihren Sohn; er hat längst alles begriffen und kann bei mir eigentlich nichts mehr lernen. Wir alle würden ihn gerne bei uns behalten wegen seines netten Wesens und der tipptoppen Arbeit, die er leistet; aber ich muß Ihnen offen sagen, daß jede weitere Zeit bei uns für ihn vertan wäre.« Diesen Argumenten kann sich auch Dr. Heimann senior nicht widersetzen, und so wird der Junior sogleich bei der EDV-Abteilung eingestellt, wo sich nach kurzem der gleiche Vorgang wiederholt.

Dafür hat nun der Lagerchef wieder die Gelegenheit, zu seinem täglichen Neunuhrbier zurückzukehren, und es macht auch nichts mehr aus, wenn er hin und wieder einer der jungen hübschen Arbeiterinnen im Lager einen väterlichen Klaps auf das Gesäß versetzt, wenn sie sich gerade bückt, um einen Karton aufzuladen.

Doch kehren wir zurück zum Normalfall des künftigen Managers, der von draußen kommt. Kurt Schneider, Sohn eines kleinen Postbeamten, hatte sein Schlüsselerlebnis im Gymnasium. Kurt befreundete sich mit Hans-Joachim, Gerd und Günther; die vier bildeten bald eine Gruppe, die meistens zusammenhielt. Zufällig, und doch nicht ganz zufällig, waren die Väter von Hans-Joachim, Gerd und Günther Direktoren oder Generaldirektoren in größeren Unternehmen. Zu der Gruppe gehörte übrigens auch noch der Klassenprimus, zugleich der Beste in der Handballmannschaft, Fritz, Sohn eines ziemlich bekannten Gewerkschafters. Die fünf trafen sich öfters bei Hans-Joachim, Gerd oder Günther zu Hause, im Sommer am Swimming-pool, im Winter zum Skifahren. Kurt war nicht nur tief beeindruckt von der gepflegten Häuslichkeit, die er bei den Eltern von Hans-Joachim, Gerd und Günther antraf, sondern fand besonders Gefallen daran, daß diese Leute so tolerant waren, ihn und Fritz einzuladen. Einmal hatte Kurt Gelegenheit, zwei Urlaubswochen mit Hans-Joachim und dessen Eltern in dem hübschen Bauernhaus zu verbringen, das Hans-Joachims Vater kürzlich als Ferienhaus hatte renovieren lassen. Der erste Abend ist Kurt für immer im Gedächtnis geblieben. Hans-Joachims Vater zeigte ihm das ganze Haus, vor allem auch jene Stellen, an denen er selbst in seiner seltenen Freizeit Hand angelegt hatte, und dabei ließ er die Bemerkung fallen: »Weißt du, das alles ist ja sehr schön, aber das ist mir nicht etwa in den Schoß gefallen, sondern dafür habe ich lange Jahre unter vielen Opfern hart arbeiten müssen. Wie dein Vater war auch mein Vater ein kleiner Beamter, der sich mein Studium vom Munde absparen mußte. Du siehst, auch heute noch steht dem Tüchtigen die Welt offen; wir leben in einer demokratischen Gesellschaft, wo echte Leistungen wirklich belohnt werden und wo jeder auch von ganz unten nach oben kommen kann, wenn er die erforderlichen Leistungen erbringt; darauf allerdings kommt es an. Du wirst gesehen haben, daß ich hier auch nicht eigentlich im Urlaub bin, sondern mich in Klausur befinde, um die Geschäftspolitik unseres Unternehmens für die nächsten Jahre zu entwerfen.«

Kurt war total fasziniert von Hans-Joachims altem Herrn, von seiner Umgänglichkeit, seiner Sportlichkeit, konnte der doch immer noch beim Langlauf und beim Radfahren mithalten. Und er sprach auch ganz offen über seine eigene Karriere: »Wenn ich so zurückdenke, so muß ich sagen, das Wichtigste war wohl, daß ich Jura studiert habe; da hat man einfach das breiteste Spektrum; heute würde man wohl auch noch ein wirtschaftswissenschaftliches Studium als geeignet ansehen. Wenn ich so überlege, was aus meinen Studienkollegen geworden ist, muß ich feststellen, daß jene, die Ingenieur- oder Naturwissenschaften studiert haben, in keinem Betrieb über mittlere Positionen hinausgekommen sind; aber da muß man natürlich ganz andere Neigungen und Fähigkeiten haben.«

Hans-Joachims Vater hat Kurt auch darauf aufmerksam gemacht, daß er seinen mathematisch-naturwissenschaftlichen Neigungen nicht zu sehr nachgeben dürfe, indem er beispielsweise an einer technischen Hochschule studierte. Damit könne Kurt in einem Konzern höchstens Produktionschef werden, als solcher aber niemals an die Spitze kommen. Das gleiche gelte für die Abteilungen Entwicklung und Forschung; auch hier handle es sich um Sackgassen für Spezialisten. »Wirkliche Aussichten hast du nur in den Abteilungen Finanz oder Marketing; alles übrige würde ich als zu kurze Leitern bezeichnen, auf denen man nicht in die obersten Stockwerke gelangt. Ideal wäre es natürlich für dich, wenn du zunächst, deinen Neigungen folgend, Diplomingenieur würdest auf dem Gebiet der Physik oder der Chemie; bloß nicht etwa Maschinenbau, das sind auch nur bessere Schlosser. Dann aber müßtest du dich nach diesem Studium dazu entschließen, noch Jura oder Wirtschaftswissenschaften zu studieren; aber ein so lange dauerndes Doppelstudium wird dein Vater dir wohl kaum finanzieren können. Sonst aber hättest du mit dem Doppelstudium eine geradezu phantastische Ausgangsposition und könntest deine Karriere erheblich abkürzen, es auch fast mit Sicherheit an die Spitze bringen. Z. B. kenne ich einen Kollegen in der Generaldirektion der Virus AG, der nicht nur sieben Jahre jünger ist als die anderen Generaldirektoren, sondern sich dank seinem Doppelstudium in Chemie und Jura sogar in die Lage versetzt hat, seinem Kollegen in der Produktion dauernd dreinreden zu können, und dies überdies in höchst kompetenter Weise, wie mir überall bestätigt worden ist. Weißt du, Kurt, ich selbst hätte meine Karriere so aufgebaut; aber mein Vater konnte mir keine zwei Studien zahlen, sowenig wie deiner es kann. Außerdem war ich damals zu sehr darauf erpicht, doch endlich einmal Geld zu verdienen. Hätte ich aber gesehen, was ich heute sehe, dann hätte ich eine etwas längere Durststrecke am Anfang in Kauf genommen, um später sehr viel rascher in die hohen Positionen zu kommen als meine Kollegen. Die vier Jahre an der technischen Hochschule hätten meine Karriere zur Spitze hin um mindestens acht Jahre verkürzt.«

Natürlich wird der Ratschlag von Hans-Joachims Vater praktisch nie befolgt, und zwar weniger, weil die Eltern für ein Doppelstudium kein Geld und kein Verständnis haben, sondern vielmehr weil der Aufsteiger bei aller Verzichtbereitschaft *so* lange Entbehrungen auf keinen Fall auf sich nehmen will. Überall treffen wir wieder auf das gleiche Phänomen, beim jungen Aufsteiger, im Vorstand von Chrysler, im Management überhaupt: Alle suchen sie kurzfristige Erfolge, und alle fürchten sie sich davor, eine Durststrecke für das Unternehmen und sich selbst durchstehen zu müssen, auch wenn dies zum Wohl des Unternehmens notwendig sein sollte.

Leider muß gesagt werden, daß die Zielsetzungen überall sehr kurz sind: buy now, pay later (für Lateiner: carpe diem).

Natürlich gab es in der Klasse von Kurt auch eine Gruppe von politisch links engagierten Jungen und Mädchen, mit denen Kurt nur lose Kontakte pflegte; die politischen Dinge interessierten ihn nicht besonders, und die sozialistischen Gedankengänge waren ihm zu abstrakt, zu wenig praktisch und zu kompliziert. Daß die freie Marktwirtschaft auch sozial ist, zeigt sich doch daran, daß Fritz, obwohl Sohn eines Gewerkschafters, bei den Eltern von Hans-Joachim, Gerd und Günther genauso freundlich aufgenommen wird wie jeder andere nette Junge auch.

So hatte Kurt bereits, wenn auch noch nicht in genau bewußten Konturen, den Sinn des Alibiarguments erfaßt. Wie der Vater von Hans-Joachim möglicherweise dachte, es sei gar nicht schlecht, wenn sein Sohn mit dem Sohn eines Gewerkschafters befreundet sei, so dachte auch Kurt in seiner Politpubertät.

Nach dem Abitur entschloß sich Kurt zum Studium der Wirtschaftswissenschaften, und er brachte dank gutem Fleiß einen recht anständigen Abschluß zustande. Dies ermöglichte es ihm, beim bekannten Betriebswissenschaftler Professor Hanemann eine Dissertation zu schreiben über das Thema »Simulationsmodelle als Instrumente der Unternehmensführung«. Sehr viel später – jetzt konnte Kurt das noch nicht wissen – sollte sich dieses Thema als ein großer Glücksfall für ihn erweisen; denn als Spezialist für Simulationsspiele konnte er später beim Aufbau seiner Karriere mehrere seiner Konkurrenten mit Planspielen austricksen.

Nun war Kurt Schneider Ökonom mit Abschluß und sogar Doktor noch dazu. Ohne den Doktortitel wären seine Aufstiegschancen – das wußte er, und das war allgemein bekannt – wesentlich geringer gewesen. Aber auch der Doktortitel ersparte ihm nicht die Stellensuche. Auf zehn Annoncen in angesehenen Zeitungen hin schrieb er die übliche Bewerbung. Von fünf Firmen erhielt er sofort eine Absage; drei Betriebe kamen für ihn nicht in Frage, weil sie keine interessante Position boten; übrig blieben die Offerten des multinationalen Chemiekonzerns Pandora AG und der Import-Export-Firma Klein & Krämer GmbH. Mit beiden trat Schneider in Anstellungsgespräche ein. Und nun geriet er vor ein echtes Dilemma. Klein & Krämer boten ihm eine Stelle als rechte Hand des Firmenchefs an mit einem Anfangsgehalt von Euro 30 000.– im Jahr und der Aussicht, schon bald Prokurist zu werden. Die Pandora AG offerierte ihm, offensichtlich mit Rücksicht auf das von ihm bearbeitete Dissertationsthema, eine Stelle in der Planungsabteilung mit einem Anfangsgehalt von Euro 20 000.– im Jahr und ohne jede weitere Zusicherung für die Zukunft. Beinahe hätte Kurt Schneider den Fehler seines Lebens gemacht; davon aber hielt ihn Hans-Joachims Vater ab, mit dem er immer noch in freundschaftlicher Verbindung stand. In seiner ungemein offenen und freundlichen Art sagte ihm Hans-Joachims Vater folgendes:

»Kurt, ich weiß genau, was du denkst. Fünfzigtausend sind für dich eine ganze Menge Geld, und der Unterschied zwischen dem Angebot von Pandora und dem Angebot von Klein & Krämer ist fast so groß wie das Jahresgehalt deines Vaters. Natürlich denkst du jetzt an ein neues Auto, eine schicke Wohnung, eine neue hübsche Freundin, nicht wahr? Das alles könntest du dir bei Klein & Krämer schon in den nächsten Jahren, wenn nicht Monaten, leisten. Aber ich muß dir leider sagen, so darf man bei uns einfach nicht denken. Bei uns dominieren absolut die langfristigen Überlegungen, und das bedeutet für dich zum jetzigen Zeitpunkt, daß du eine längere Durststrecke durchstehen mußt, und zwar bei der Pandora AG. Die Sache ist ganz einfach zu erklären. Bei Klein & Krämer verdienst du zwar im Moment viel, kannst aber nicht mehr wesentlich höher kommen, und vor allem lernst du die Spielregeln nicht kennen, nach welchen ein großer Konzern funktioniert. Gehst du in den Großkonzern, so hast du, wenn du die Stelle wechseln willst, immer eine gute Referenz, während man bei Klein & Krämer immer fragen wird, wieso du dort drei oder vier Jahre vertan hast. Was das Geld betrifft, so mußt du ebenfalls langfristig denken: In fünf bis zehn Jahren werden Fünfzigtausend für Dich ein Pappenstiel sein.«

So entschloß sich Kurt Schneider für die Durststrecke bei Pandora.

Wäre er zu Klein & Krämer gegangen, dann hätte

er fürs erste die Genugtuung gehabt, wesentlich mehr zu verdienen als seine Studienkollegen bei der Pandora AG, mit der Zeit aber gemerkt, daß er einen Fehler gemacht hätte. Immer wieder wäre er gefragt worden, wo er arbeite, und immer wieder hätte er erklären müssen, um was für einen Laden es sich bei Klein & Krämer handelte. Mit der Zeit wäre auch aufgefallen, daß seine Altersgenossen bei der Pandora AG allmählich höhere Gehälter erhielten, ihn schließlich finanziell überrundeten und insgesamt in höhere Positionen aufrückten. Die Vergleiche hätten bei Kurt Schneider ein chronisches Mißbehagen ausgelöst, das ihn schließlich dazu motiviert hätte, sich nach einer anderen Stelle umzusehen. Jetzt würde er endlich reuig zu Pandora gehen, und wenn er geschickt wäre, würde er offen bekennen, daß er eben seinerzeit bei der ersten Stellenwahl einen Fehler begangen habe, damals geblendet von den finanziellen Aussichten, was man vielleicht damit entschuldigen könne, daß er aus kleinen Verhältnissen stamme. Dann wird der Direktor der ihm jetzt bei Pandora gegenübersitzt, Verständnis haben, weil er sich daran erinnert, daß er selbst seinerzeit einen ganz ähnlichen Fehler gemacht hat, als er wegen des höheren Lohnes bei einer kleinen, unbekannten Firma anfing. Der Fehler, den Kurt mit der Annahme des Angebots von Klein & Krämer gemacht hätte, wäre am Schluß doch nicht so groß gewesen, daß er ihn später nicht hätte gutmachen können. Aber man kann doch sagen, daß er auf diese Weise von den fünf Jahren etwa drei verloren hätte.

Kurt hat jedoch, wohlberaten von Hans-Joachims Vater, den Fehler nicht gemacht und ist gleich von Anfang an, zwar zu schäbigen Bedingungen, bei der angesehenen Firma Pandora eingetreten. Jetzt muß Kurt Schneider fleißig sein und gute Leistungen erbringen; denn in der Unterschicht wird noch wirklich gearbeitet. Zugleich muß er seine Weiterbildung betreiben, vor allem in Sprachen, das Wichtigste aber ist, daß er die übrige Zeit dafür verwendet, die Machtkonstellationen im Betrieb kennenzulernen. Er muß wissen, welcher von den Direktoren gegenüber anderen Direktoren das gewichtigere Wort hat; er muß die Karriere der Vorgesetzten kennenlernen, auch die Koalitionen, die sie unter sich eingehen.

Aber er darf nirgends mitspielen und nirgends sich engagieren; denn auf der tiefen Stufe, auf der er steht, ist die Beteiligung am Machtspiel immer nur gefährlich. Man muß wissen, daß auf der unteren und mittleren Ebene die Koalitionen und die Machtkonstellationen überhaupt ständig im Fluß sind, und wenn man sich mit einem verbündet hat, der gestürzt wird, dann stürzt man mit, wenn man sich nicht rechtzeitig von ihm distanziert. Was die Macht anbetrifft, so muß Kurt die gänzlich unbefleckte Empfängnis markieren, dabei aber tüchtig arbeiten.

In jeder Situation flexibel, muß er vor allem bei jeder Änderung, die ihm angeboten oder aufgedrängt wird, überlegen, wie sie sich für seine Karriere auswirken wird. Z. B. wäre es verheerend, wenn er sich als Leiter der Tochtergesellschaft in Lima/Peru mit einem längerfristigen Vertrag binden ließe. Von Lima kehrt keiner mehr zurück in die Zentrale. Ganz anders würde es sich mit der Versetzung auf einen Hauptmarkt, z. B. in die USA, verhalten. Ein solches Angebot müßte Kurt annehmen.

Wenn ihm aber Peru angeboten wird, muß er Argumente finden, die ihm gestatten, das Angebot abzulehnen, ohne in den Ruf eines unbeweglichen und anpassungsunfähigen Stammhausbeamten zu kommen. Er wird also seinem Direktor folgendes sagen:

»Ich wäre sehr gerne bereit, nach Lima zu gehen; schon die Neuheit der Aufgabe verlockt mich aufs äußerste. Doch habe ich den Eindruck, daß es für die Firma und mich besser wäre, wenn ich noch wenigstens ein Jahr Gelegenheit hätte, das Stammhaus besser kennenzulernen, z. B. in der Marketingabteilung, von der ich einfach noch zu wenig weiß – auch zu wenig weiß, um in Lima meine Aufgabe wirklich gut erfüllen zu können.«

Damit hat Kurt Schneider Zeit gewonnen, und außerdem kann er hoffen, daß ihm der Konzern in absehbarer Zeit eine Stelle in den USA anbietet, die natürlich unendlich viel interessanter ist als jene in Peru. Aus den USA kann man jederzeit in die Zentrale in Europa zurückkehren. Außerdem sind die USA für sich genommen, mindestens bei sehr großen Konzernen, ein so großer Markt, daß sie für Kurt eigene Aufstiegsmöglichkeiten bieten, die ebenso zur Spitze führen können wie die Karriere in der Zentrale. Ferner ist mit dem Auslandsaufenthalt der Vorteil verbunden, daß er ihm das Image eines weitgereisten und weltmännischen Managers verleiht.

In jedem Falle, ob mit oder ohne Amerikaaufenthalt, muß Kurt so lange bei der Pandora bleiben, bis er die drittoberste Führungsstufe erreicht hat, d. h. er muß seinen Marktwert so weit steigern, daß entweder die Konkurrenz oder die Headhunter auf ihn aufmerksam werden. Praktisch bedeutet dies, daß er eine gewisse Freiheit gegenüber dem eigenen Unternehmen erst gewinnt, wenn er mindestens Vizedirektor geworden ist. Vorher darf er auf keinen Fall auf irgendwelche Stelleninserate hin Bewerbungen schreiben; andernfalls ist sein Marktwert kaputt. Wie aber wird man Vizedirektor? Hier lautet nun die ehrliche Antwort tatsächlich so, wie jeder uninformierte Leser sie erwartet: durch Arbeit, Leistung und Leistung. Auf dieser Stufe besteht das Power Play ausschließlich darin, auf das Power Play total zu verzichten. Wie gesagt, auf den unteren Ebenen zählt tatsächlich die Leistung; auf den unteren Ebenen liegt auch wirklich die Produktivität des Unternehmens. Damit hängt es zusammen, daß einer unmöglich ohne Leistung, etwa allein durch Intrigen, Vizedirektor werden kann. Hinzu kommt, daß er auf der unteren Ebene niemals an die Informationen herankommt, die ihn zum Power Play befähigen würden. Entscheidend aber ist das Gesetz der fremden Leistung. Die Direktoren und die Generaldirektoren, also sämtliche Topmanager, müssen, da sie selbst nicht mehr arbeiten, sondern nur noch Power Play betreiben und über andere entscheiden, elementar daran interessiert sein, daß auf der unteren Ebene echte Leistung erbracht wird, die sie vorzeigen können. Also werden sie, soweit ihre Kenntnisse es ihnen gestatten, jeweils denjenigen vom Prokuristen zum Vizedirektor befördern, von dem sie glauben, daß er die größeren Leistungen erbracht hat und der leistungsfähigste Mann ist. In diesem Bereich gibt es höchstens eine objektive Willkür, die im Evaluationssystem angelegt ist, jedoch keine subjektive, die auf Neigungen und Abneigungen beruht.

Kurt Schneider hat es geschafft. Er ist jetzt 38 Jahre alt und Vizedirektor geworden. Er hat auch beobachten können, daß man spätestens mit 40 Jahren die Stufe des Vizedirektors erreicht haben muß, wenn man auf der Stufenleiter weiter nach oben kommen will. Gewiß gibt es Vizedirektoren, die erst mit 42 oder gar mit 45 Jahren diese Stufe erreichen; von ihnen kann aber mit Sicherheit gesagt werden, daß sie bis zur Pensionierung auf dieser Stelle bleiben und keinesfalls mehr die Möglichkeit haben, zur Spitze aufzurücken.

Als Vizedirektor hat nun Kurt auch die Möglichkeit, das Power Play, das über ihm stattfindet, allmählich kennenzulernen und sich mit der gebotenen Vorsicht daran zu beteiligen. Er wird sich zwar keiner Koalition anschließen und schon gar nicht auf einen bestimmten, ihm besonders mächtig scheinenden Mann setzen; wohl aber wird er überall versuchen, unauffällig Aufmerksamkeit zu erregen, vor allem bei den besonders starken Männern, die sich über ihm in der Hierarchie befinden. Er kann z. B. versuchen, sich durch besonders begehrte Dienstleistungen beliebt zu machen, z. B. indem er einem Generaldirektor das Material für dessen Vortrag vor der Handelskammer zusammenstellt und womöglich schon den ganzen Text des Vortrages schreibt. Mit der Zeit wird er auf diese Weise im Betrieb ein gesuchter Mann sein, auf dem der wohlwollende Blick der Vorgesetzten ruht. Kurt wird sich seine Position nun auch nach außen absichern, indem er z. B. an Symposien oder vor Branchengruppen usw. kleine Vorträge hält und in bekannten Busineßzeitungen kleine, aber sehr grundsätzliche Artikel zu Wirtschaftsfragen publiziert. Auch dadurch macht er auf seine besonderen Fähigkeiten aufmerksam. Dabei kommt ihm besonders zustatten, daß seine damals avantgardistische Dissertation immer noch eine gewisse Aktualität hat und sich weiterverwerten läßt, indem Kurt Teile aus seinem Werk, ein wenig breitgewalzt und vielleicht mit neueren Daten versehen, in verschiedenen Wirtschaftsorganen veröffentlicht.

Zugleich muß Kurt Schneider nun genau überlegen, wie die personelle Konstellation im Betrieb für seinen Aufstieg aussieht. Je nachdem muß er sich entschließen, im Betrieb weiterhin zu bleiben oder in ein anderes Unternehmen hinüberzuwechseln. Im Betrieb wird er bleiben, wenn er sieht, daß er die Protektion der höheren Manager genießt und daß außerdem die Altersstruktur seiner Vorgesetzten günstig ist, d. h. daß einige von ihnen demnächst weiterbefördert werden oder altershalber ausscheiden, so daß er, Kurt, nachrücken kann. Stehen alle diese Dinge günstig, so mag Kurt ruhig bei der Pandora bleiben. Wenn er sich nun am Power Play geschickt beteiligt, sich jeweils den richtigen Koalitionen der grauen Mäuse anschließt, sich außerdem extern, vielleicht durch einen Lehrauftrag im Rahmen seines Dissertationsthemas an einer Handelshochschule, absichert, dann kann er damit rechnen, daß er gemäß dem firmeninternen Beförderungsrhythmus so ungefähr alle fünf Jahre die nächste Beförderungsstufe erreicht und schließlich auch die Spitze. Er wird also mit 45 Jahren Direktor und mit 50 Jahren Generaldirektor. Dann wird er auch im Laufe von verhältnismäßig kurzer Zeit in die Aufsichtsräte verschiedener anderer Großunternehmen berufen, kurzum, er hat erreicht, wovon er schon im Gymnasium träumte.

Diese Karriere, die ohne Engpässe und Hindernisse in der eigenen Firma von Anfang an bis zum Ende ungebrochen nach oben verläuft, ist allerdings eher die Ausnahme. Wenn Kurt Schneider z. B. feststellt, daß er nun schon länger als sechs Jahre Vizedirektor geblieben ist, einmal sogar bei einer Beförderung übergangen wurde, dann ist es Zeit für einen neuen Entschluß. Kurt muß die Firma verlassen. Das kann er mit um so besseren Gründen tun, als es allgemein als günstig angesehen wird, wenn jemand in verschiedenen Branchen Managerfunktionen ausgeübt hat. Allerdings muß Kurt nun sehr vorsichtig und subtil – etwa wie eine Frau, die gerne ein neues Verhältnis anknüpfen möchte – zu erkennen geben, daß er zu haben ist. Zu Headhunter Keller kann er auf keinen Fall direkt gehen. Das wäre genauso peinlich, wie wenn von jemandem bekannt wird, daß er auf dem Annoncenweg eine Gattin sucht. Bestenfalls kann er über gemeinsame Bekannte durchsikkern lassen, daß er sich nach einem neuen Tätigkeitsfeld umsieht. Auch in dieser Situation kann ihm natürlich wieder Hans-Joachims Vater behilflich sein oder Hans-Joachim selbst, der inzwischen ja ebenfalls eine gehobene Managerposition erreicht hat. Auch sitzt Kurt selbst schon in einem Netz von nützlichen Beziehungen, das er an Symposien, Managerfortbildungskursen, in der Schweiz auch im Militär, knüpfen konnte, und bald wird der Fall eintreten, daß tatsächlich Keller auf ihn aufmerksam wird und direkt mit der Frage an ihn herantritt, ob er nicht Lust hätte, zum Nahrungsmittelkonzern Gastrum hinüberzuwechseln. Bei Gastrum wird ihm entweder sogleich ein Direktorenposten angeboten oder ein Vizedirektorenposten, jedoch verbunden mit einem klaren Karriereplan, d. h. dem festen Versprechen, ihn in spätestens zwei bis drei Jahren zum Direktor zu machen. Beim Lebensmittelmulti wird er nun Planungserfahrungen aus dem Pharmamulti Pandora einbringen können, was seine Stellung verstärkt.

Beim Lebensmittelmulti kann Kurt nun zur Spitze aufsteigen. Sollten jetzt, in der Phase zwischen dem Direktor und dem Generaldirektor Verzögerungen oder sonstige Schwierigkeiten auftreten, dann sind diese jedenfalls nicht mehr so gefährlich wie früher; denn nun ist Kurt in den Registern aller Headhunter wohl vermerkt und abgesichert. Drei- bis viermal darf sich ein Manager ohne Nachteil für seine Karriere den Wechsel von einer angesehenen Firma zur anderen leisten, häufigere Wechsel allerdings nicht; sonst kommt er in den Verdacht, unzuverlässig zu sein, ein sogenannter »Stellenhüpfer«. Das wird bei Kurt ohnehin schon deshalb kaum eintreten, weil er mit zunehmendem Alter, spätestens ab etwa 40 Jahren, wegen der familiären Bindungen nicht mehr so beweglich ist: Seine Frau will nicht mehr an einen anderen Ort ziehen, besonders wegen der Kinder, auf deren Ausbildung sich ein Schulwechsel allemal sehr ungünstig auswirkt.

Eine Möglichkeit, Eigentümer zu werden

Der Abstand zwischen dem Manager und dem Eigentümer ist unendlich groß. Der Eigentümer verdient z. B. 20 Millionen im Jahr, der Manager höchstens zwei. Alle Manager tragen sich mit dem Gedanken, vielleicht doch einmal Eigentümer zu werden.

Es gibt drei Wege, auf denen man Eigentümer wird. Der einfachste, natürlichste, aber arbeitsreichste Weg führt vom kleinen Handwerker über den kleinen Fabrikbetrieb zum mittleren Unternehmen oder vom kleinen Handelsbetrieb zum Warenhauskonzern. Der zweite, interessantere Weg ist derjenige des Erfinders, der gemerkt hat, daß er seine Erfindung auch für sich selbst verwerten kann, in seiner eigens gegründeten Firma, statt sie an seinen Arbeitgeber zu verschenken. Der dritte, interessante Weg ist derjenige des Spekulanten. Um ganz groß zu werden, muß jeder diesen dritten Weg mindestens *auch* beschreiten.

Auf welchem Wege auch immer, der Übergang zum Eigentümer ist letztlich der Traum jedes Managers, ein Traum freilich, der in fast allen Fällen unerfüllt bleibt. Vor allem aus drei Gründen ist die Eigentümerposition besonders erstrebenswert. Entgegen allen gängigen Behauptungen bleibt das Risiko des Eigentümers immer begrenzt. Nehmen wir den Fall unseres Erfinders. Er wird mit seinen Patenten eine Aktiengesellschaft gründen und mit den Gewinnen einerseits zwar expandieren, andererseits aber auch privates Vermögen bilden. Sollte irgendeines späteren Tages, wie es vielleicht im Falle von Herbert Gross möglich gewesen wäre, die früher blühende Firma Konkurs machen, so wäre zwar das Vermögen der Aktiengesellschaft weg, Gläubiger kämen zu Verlust, aber das private Vermögen des Eigentümers bliebe unangetastet. Noch attraktiver wird die Eigentümerposition dadurch, daß sie vom Power Play, in dem die Manager sich in ständigem Streß aufreiben, vollständig befreit. Alle Eigentümer gewordenen Kollegen, die wir kennen, haben uns immer wieder beteuert, welch ungeheure Befreiung es für sie gewesen sei, aus dem Power Play auszuscheiden, die vielen Zwänge abzustreifen, denen die graue Maus unterliegt, endlich einmal rücksichtslos leben und genießen zu können. Der Manager, der sich mit seiner Geliebten im Büro erwischen läßt, fliegt sofort aus dem Betrieb; wenn der Eigentümer dasselbe tut, ist es keineswegs dasselbe: Es hat keinerlei Konsequenzen. Zur Freiheit kommt das große Geld hinzu. Während ein Manager im besten Fall ein oder zwei Millionen im Jahr verdient, meistens aber nur zwischen 200 000 und 500 000, fällt dem Eigentümer alles zu, was die in seinem Betrieb Arbeitenden erwirtschaften: Das können fünf Millionen, zehn Millionen oder auch 30 Millionen im Jahr sein.

Warum geschieht es trotz all dieser Vorteile so selten, daß gewiefte Manager, die z. B. bei der Pandora die beste Ausbildung genossen haben und alle Erfahrungen und Fähigkeiten mit sich bringen, um einen eigenen Betrieb gründen zu können, einen solchen Entschluß fassen und vollziehen? Gewiß spielen alle Manager irgendwann einmal in ihrem Leben mit diesem Gedanken; schließlich werden sie ihn aber verwerfen, und zwar aus folgenden Gründen: Vor allem wird den Manager die Aussicht abschrecken, daß er seine gehobene Position bei einem internationalen Großkonzern, z. B. bei der Pandora, vertauschen müßte mit der Eigentümerposition bei einem verhältnismäßig kleinen und unbekannten Unternehmen, etwa bei Klein & Krämer; denn da er in seinem bisherigen Leben nicht viel Kapital hat akkumulieren können, wird er höchstens in der Lage sein, ein kleines Unternehmen zu gründen oder zu kaufen. Sein Status wird also zunächst einmal drastisch sinken. Seine Freunde werden nicht verfehlen, ihn darauf aufmerksam zu machen. Hinzu kommt, daß seine Frau ihm sagen wird: »Du weißt ja, daß ich dir sicher nicht im Wege stehen werde, aber überleg dir's doch bitte ganz genau. Du verlierst deine Pensionsberechtigung, du gehst ein großes Risiko ein, vielleicht wirst du alles verlieren, was du bisher erarbeitet hast. Und dann, bitte, denk auch an unsere Kinder, die jetzt mitten in der teuren Ausbildung stehen, besonders Heinrich, den wir ins Lyceum Alpinum in Zuoz schicken wollten.« Für sich selbst wird der Manager zusätzlich überlegen, daß er jetzt, mit 45 Jahren, eben erst bei Pandora in die Position gekommen ist, wo er nicht mehr eigentlich zu arbeiten braucht, sondern nur noch Entscheidungen fällen muß und wo er ein sehr gutes Gehalt bezieht. Jetzt müßte er gewissermaßen wieder ganz von vorn anfangen, viel und hart arbeiten, um das kleine – gekaufte oder gegründete – Unternehmen in Schwung zu bringen, und er hätte in den ersten Jahren sicher keinen Ertrag, den er nicht sofort wieder ins Unternehmen investieren müßte. Das alles heißt, daß sein Lebensstandard enorm sinken würde; die Freiheit des Eigentümers wäre zu teuer erkauft. Dies sind die Gründe dafür, daß Manager in höheren Positionen den Schritt zum Eigentümer nie oder fast nie unternehmen.

Wer aber tut es? Immer handelt es sich um junge Leute von etwa 30 Jahren, wie z. B. Franz Huber. Franz Huber war Monteur bei der großen Maschinenfabrik Metallum AG und wurde von seiner Firma als solcher in die USA geschickt. Dort hatte er öfter in einem kleinen Betrieb zu tun; er kam mit dessen Chef ins Gespräch, und dieser fragte ihn eines Tages, ob er, Franz Huber, denn nicht glaube, daß sich das amerikanische Produkt, nämlich ein Wärmeregulator für Zentralheizungen, auch in Deutschland verkaufen lasse. Huber überlegte kurz und sagte »Why not«. Das Produkt war neu, es war praktisch, es hatte sich auf dem amerikanischen Markt bewährt, die Patente für Europa waren abgesichert. Der amerikanische Chef gab ihm ein kleines Startkapital, Huber kehrte nach Deutschland zurück, kündigte die Stelle bei seiner bisherigen Arbeitgeberin und reiste von nun an mit seinem Opel in Deutschland umher, um bei Sanitärgeschäften das amerikanische Produkt an den Mann zu bringen. Huber war selbst erstaunt darüber, wie gut die Sache lief. Schon nach wenigen Monaten mußte er einen Vertreter anstellen, nach einem Jahr schon brauchte er zehn, um den deutschen Markt zu bearbeiten; er mußte zusätzliche Büros und Lagerräume anmieten. Seine Erfolge verhalfen ihm ferner dazu, daß er nun auch die Vertretungen für Österreich und für die Schweiz erhielt und auch in diesen Ländern sein Netz erweiterte und erweiterte. Das Geschäft entwickelte sich in den folgenden fünf Jahren zu einer solchen Größe, daß Huber einen Finanzchef einstellen mußte. Er fand ihn in der Person von Karl Reimann, einem schmalen, cleveren 30jährigen Typen, der zuvor bei einer kleinen Bank die internationalen Geschäfte abgewickelt hatte. Huber und Reimann kamen sich bald näher. Huber bewunderte an Reimann dessen pfiffige Wendigkeit und dessen selbstsicheres, kühles, etwas arrogantes Auftreten, das er aus dem Bankgeschäft mitbrachte. Huber verdiente viel Geld; aber so ganz zufrieden war er dabei nicht, und das hatte Reimann sofort bemerkt. Z. B. war es Huber nicht gelungen, in den örtlichen Rotaryclub aufgenommen zu werden, obwohl doch da Leute drin waren, die wesentlich weniger verdienten als er. Die Bankdirektoren schätzten ihn zwar als Kunden, luden ihn aber nie zum Abendessen ein. Irgendwie war er immer noch der kleine Monteur. Daß ihn dies wurmte, sah ihm Reimann sofort an. Zudem hielt Huber nicht zurück mit Klagen über die sogenannte feine Gesellschaft, die einen einfachen, tüchtigen

Selfmademan wie ihn verachtete. Im Grunde wird doch der Aufstieg des Tüchtigen überhaupt nicht honoriert.

Um so interessanter war es für Huber, daß er sich mit Reimann an manchen Abenden über die große Finanzwelt der Banken und des »big business« unterhalten konnte und von Reimann als Gesprächspartner absolut ernst genommen wurde. »Weißt du«, sagte ihm Reimann, »für die bist du halt immer noch ein kleiner Fisch. Was zählt für die schon eine Franz Huber AG? Du müßtest da in eine ganz neue Dimension eintreten, um von den anderen ernst genommen zu werden.«

Nach etwa zehn Jahren – Huber war jetzt 40 Jahre alt und hatte gut fünf Millionen auf der hohen Kante – redeten Huber und Reimann wieder einmal über die ganz großen Geschäfte der ganz großen Fische. »Hör mal«, sagte Reimann, »du hast doch früher bei der Metallum AG gearbeitet; weißt du überhaupt, wie es um die Bude steht?« »Keine Ahnung«, sagte Huber, »was soll mich das kümmern?« »Die Firma steht schlecht, sie hat seit drei Jahren nur noch Verluste gemacht, die Aktien wären jetzt für 50 Euro zu haben.« »Na und?« Reimann fuhr unbeirrt fort: »Du kennst doch die Metallum AG, die Anlagen, die Grundstücke und das ganze Drum und

Dran. Wie hoch würdest Du den inneren Wert der Firma einschätzen?« »Keine Ahnung. Wieso?« »Nur mal so über den Daumen gepeilt dürfte man doch sagen, daß die ganze Bude heute noch einen Substanzwert von 50 Millionen hat. Der Börsenwert aller Aktien dagegen beträgt heute nur etwa 15 Millionen. Ich habe mich genau erkundigt. Ein Aktienpaket von noch knapp 20% befindet sich in den Händen der Familie Bergmann; die übrigen Aktien sind breit auf dem Markt verteilt. Für fünf Millionen kannst du dir ein Paket von 30% an der Börse besorgen und wirst damit der stärkste Einzelaktionär, womit du faktisch die Kontrolle über die gesamte Unternehmung in die Hand bekommst.«

Beim Namen Bergmann wurde Huber hellwach. Das war doch der junge Schnösel, der immer im roten Sportwagen vorfuhr und nur wegen seiner Familie im Unternehmen eine Blitzkarriere machte, dazu auf die Arbeiter herunterschaute, als wäre er ein kleiner Gott. Für Huber wäre schon allein die Aussicht, diesen Kerl, der das Unternehmen heruntergewirtschaftet hatte, auf die Straße zu stellen, fünf Millionen wert. Zugleich wußte Huber natürlich, selbst wenn Reimann es nicht gesagt hätte, daß er mit diesem Coup endlich in den Kreis der Großindustriellen hineinkäme.

Es gelang Huber mit Hilfe von Reimann, über verschiedene Banken nach und nach 30% der Aktien der Metallum AG aufzukaufen; seine fünf Millionen reichten dafür aus, obwohl vor allem gegen Ende die Kurse wegen der Aufkäufe scharf anzogen. Eines Tages verlangte Huber als Hauptaktionär eine außerordentliche Generalversammlung. Zuvor hatte er sich mit Hilfe seines Anwaltes mit zwei Großbanken verständigt, die zusammen ein 30%iges Paket von Publikumsaktien vertraten. Die Generalversammlung verlief äußerst ruhig. Huber erklärte, daß er die Firma mit einem neuen Management wieder in Schwung bringen wolle; er stellte der Generalversammlung den neuen Finanzchef vor, Karl Reimann.

Nach einem Jahr schlug Huber, nunmehr Präsident des Aufsichtsrates der Metallum AG, nach Absprache mit den Banken, der Generalversammlung vor, zur Sanierung des Unternehmens eine Kapitalerhöhung von 50% durchzuführen, was auch genehmigt wurde. Die Familie Bergmann konnte mangels genügender Finanzen bei dieser Transaktion nicht mitziehen, und dies hatte zur Folge, daß ihr Aktienpaket bedeutungslos wurde. Huber erlebte nun die Genugtuung, daß die Banken Herrn Dr. Bergmann nahelegten, aus dem Aufsichtsrat zurückzutreten, was sich auch wegen der hohen Kredite aufdrängte, die Bergmann bei den Banken für seinen aufwendigen Lebensstil seit Jahren beanspruchte. Im Zuge der Ablösung von Bergmann wurde dann auf ganz natürlichem Wege Karl Reimann zum Vorsitzenden der Generaldirektion gewählt. Sein Power Play hatte sich bewährt. Auch für Huber verlief die Sache natürlich glücklich. Er ließ sich auf mehrfaches Bitten dazu herab, in den örtlichen Rotaryclub, in den Golfclub und in den Yachtclub einzutreten. Die Eintrittsrede, die jedes neue Mitglied im Rotaryclub halten muß, ließ sich Huber von Professor Bieri schreiben, den er inzwischen in den Aufsichtsrat der Metallum AG berufen hatte.

Die tüchtige, einfach gebliebene Frau Huber war natürlich dem mondänen Leben, das Franz Huber so stark verlockte, nicht gewachsen. Huber hatte sie freilich immer noch gern und beschenkte sie reich mit Pelzen und Schmuck, zugleich aber befreundete er sich im Yachtclub mit einem Mannequin, und hier nun zeigte sich sein großer Freiheitsvorsprung als Eigentümer gegenüber den Managern in großen Konzernen: Er durfte sich mit seiner Freundin gefahrlos überall zeigen. Die offene Unmoral ist das sichtbarste Zeichen der Macht.

Sicherung der Macht

Obwohl die Verantwortung eines Managers mindestens nie systematisch realisiert wird, lebt er doch in einem gewissen Maße gefährlich, da es immer einmal geschehen kann, daß er für irgendeine Panne als Sündenbock herhalten muß. Das Schlimmste jedoch, was ihm passieren kann, ist die Entlassung mit großer Abfindungssumme. Einem bunten Vogel würde das wenig ausmachen; im Gegenteil, er wäre eher froh über die Gelegenheit, ein neues Leben anzufangen, zumal mit so massiver Starthilfe. Für eine graue Maus jedoch ist die Entlassung ein demütigendes, sie zur Verzweiflung treibendes Erlebnis; denn Alternativen kann die graue Maus sich in ihrem Leben ohnehin nicht vorstellen.

Also müssen sich die Manager – und die meisten sind ja graue Mäuse – nach möglichst vielen Seiten dagegen absichern, entlassen zu werden.

Grundsätzlich kann der Manager seine Macht auf zwei Weisen absichern: extern und intern. Die externe Absicherung besteht darin, daß der Manager Mitglied irgendeines angesehenen Gremiums wird, z. B. des Parlamentes oder des Vorstandes der Arbeitgebervereinigung. Hat er eine solche Position erreicht, dann kann er sich in seinem Unternehmen fast jeden Fehler leisten. Denn dieses kann es sich nun nicht mehr leisten, »seinen Parlamentarier« oder gar das Vorstandsmitglied der Arbeitgeberorganisation zu entlassen. Als erster Schritt zur externen Absicherung der Macht empfiehlt sich die Wahl in Kommissionen und Gremien, die dem Unternehmen nahestehen, z. B. in den Ausschuß des Branchenverbandes oder in eine Expertenkommission, die den Entwurf eines Gesetzes über die betreffende Branche vorbereiten soll. Gut, wenn auch etwas aufwendig, sind auch Vorträge bei Symposien der betreffenden Branche oder gar Lehraufträge an Hochschulen. Noch besser ist die Absicherung in branchenfremden Sparten. Wenn der Generaldirektor der Firma Pandora zugleich Aufsichtsrat bei der Gastrum ist, eventuell außerdem noch bei einem weiteren Multi, dann hat er eine optimale Sicherung erreicht. Würde seine Firma ihn als Generaldirektor entlassen, so wäre dies ein offensichtlicher Affront gegen die anderen Firmen. Hervorragend gute externe Absicherungen sind auch die Mitgliedschaft etwa im nationalen Komitee des Roten Kreuzes oder, wenn unser Manager beispielsweise in der Lebensmittelbranche tätig ist, die Mitgliedschaft in der internationalen Ernährungskommission.

Im Sonderfall Schweiz kommt dazu noch die militärische Karriere. Fast alle schweizerischen Topmanager haben hohe Führungschargen in der Armee, vom Hauptmann bis zum Obersten; erst in den höheren Rängen werden sie von reinen Berufsmilitärs abgelöst; immerhin gibt es doch auch einige Brigadiers, die im Nebenberuf Manager sind und in ihrem Büro etwa 60% der Arbeitszeit dem Militär widmen. Da so viele Topmanager auch Topmilitärs sind, bedeutet dies für unseren Manager-Oberst, daß er in seinem Betrieb total abgesichert ist: Über Jahre hinaus haben ihm Managerkollegen im Militär seine besonderen Qualifikationen bescheinigt; wie könnte nun das eigene Unternehmen es wagen, ihn für irgendeine Panne im Unternehmen verantwortlich zu machen und plötzlich als unfähig einzustufen!

Nicht ganz unangenehme Nebenfolgen der externen Absicherung sind zusätzliche Macht in anderen Bereichen und über andere Menschen und, soweit dies überhaupt jemanden interessieren sollte, zusätzliches, vom Fiskus schwer zu kontrollierendes Geld.

Das Höchste im Leben eines Managers, vor allem

wenn er nie den Doktorgrad erworben hat, ist es, Konsul zu werden. Damit hat er auch zugleich die beste externe Absicherung erreicht. Ein Konsul *kann* einfach nicht von seinem Betrieb entlassen werden; denn damit würde ein ganzer Staat beleidigt, und wenn es nur Panama wäre. Der eigene Außenminister würde beim Unternehmen intervenieren und fragen: Seid ihr eigentlich verrückt geworden, uns diese unnötigen Schwierigkeiten mit einem befreundeten Staat zu bereiten?

Die interne Absicherung beruht in erster Linie auf Koalitionen. Zwei oder drei Generaldirektoren halten meistens zusammen. Wer dagegen keiner Koalition angehört, der ist stets sehr gefährdet.

Für den Außenstehenden führt der sicherste Weg, um Koalitionen festzustellen, übers Kulinarische. Wer geht mit wem zum Mittagessen? Auch das weibliche Element kann ein Indikator sein: Welche Ehefrauen verkehren miteinander? Um die kulinarische Probe zu machen, bedarf es freilich einer eher seltenen Situation. Wenn die Generaldirektion, bestehend aus vier Generaldirektoren, eine Sitzung hat, die bis Mittag dauert, werden normalerweise alle vier gemeinsam zum Mittagessen gehen. Ist jedoch die Sitzung um viertel nach elf zu Ende, dann entsteht folgende Situation: Jeder der vier Generaldirektoren zieht sich in sein eigenes Büro zurück, und es sieht so aus, als gingen sie alle auseinander. In Wirklichkeit werden sich die Koalitionspartner telephonisch von ihrem Büro aus zum Mittagessen verabreden, und eine peinliche Situation kann höchstens entstehen, wenn zufällig alle vier, also je zwei und zwei, dasselbe Restaurant ausgesucht haben. Dann wird offenbar, wie wichtig dieser an sich banale Vorgang eigentlich ist: Die Koalitionen werden sichtbar, und es entsteht im Restaurant fast eine Art von Konfrontation, die aber mit viel Liebenswürdigkeit und Heuchelei zugedeckt wird. Angenommen, die Generaldirektoren Hans und Fritz sind um zwölf Uhr im Restaurant eingetroffen, und der verfluchte Zufall will es, daß die Generaldirektoren Franz und Max um zehn nach zwölf ebenfalls das Restaurant betreten. »Ach wie nett«, sagt Hans, »daß ihr auch da seid; ich habe mich soeben ganz zufällig mit Fritz getroffen; setzen wir uns doch an einen größeren Tisch und nutzen die seltene Gelegenheit, auch einmal außerhalb der Geschäftsordnung uns gewissermaßen privat, soweit wir überhaupt noch ein Privatleben haben, unterhalten zu können.«

Ein noch stärkerer Indikator für Koalitionen ist das Du. Wenn ein Direktor mit dem Generaldirektor plötzlich per Du ist, dann löst dies bei den anderen Direktoren höchste Alarmbereitschaft aus. Sie werden sofort miteinander zum Lunch gehen und sich gegenseitig fragen, was denn da eigentlich passiert ist.

Das Du kann auch als Machtinstrument benutzt werden, sei es um einen Koalitionspartner an sich zu binden, sei es um einen möglichen Gegner zu neutralisieren. Das Du zeigt vielleicht am deutlichsten, wie sehr sich seit Machiavelli das Machtspiel verfeinert hat.

Ein weiteres Mittel der Machtsicherung und zusätzlich auch des Machterwerbs sind die Gutachten, die bei externen Konsulenten eingeholt werden. Es gibt die harmlosen Gutachten und die brisanten Gutachten. Die harmlosen Gutachten dienen dazu, die eigene Argumentation im eigenen Teilbereich des Unternehmens in Fragen, bei denen man eine Kontroverse befürchtet, abzustützen. Man kann dann sagen, man habe das betreffende Ei nicht etwa allein gelegt und ausgebrütet, sondern Professor Stutz, der bekannte Betriebswissenschaftler an der Hochschule St. Gallen, habe einen in seinen Ansichten voll bestätigt. Mit diesem harmlosen Gutachten wird unser Manager es leichter haben, ein bestimmtes Projekt, allerdings nur in seinem eigenen Zuständigkeitsbereich, durchzubringen.

Ganz anders verhält es sich mit den brisanten Gutachten. Diese dienen dazu, einen möglichen Konkurrenten abzuschießen, z. B. den Direktionskollegen Holzer, der mit Ihnen für die Wahl zum Generaldirektor im Rennen liegt. Das brisante Gutachten ist nicht zuletzt deshalb brisant, weil es seinem Inhalt nach Ihren Kompetenzbereich überschreitet und in den Kompetenzbereich von Kollege Holzer eingreift, und deshalb kann es auch nicht von Ihnen allein veranlaßt werden. Entweder sind Sie raffiniert genug, das Gutachten zwar nicht mit Zustimmung Holzers – so idiotisch wird auch er nicht sein –, aber doch mit Zustimmung der anderen Direktionskollegen einzuholen und auf diese Weise ein trojanisches Pferd in Holzers Gebiet zu bringen. Oder – die einfachere Variante – Sie gewinnen die Generaldirektoren für den Gedanken, ein Gutachten über den Produktionszweig von Holzer einzuholen.

Nun beginnen aber erst die eigentlichen Schwierigkeiten. Verhältnismäßig einfach ist es, wenn Sie veranlassen können, daß ein Gutachter gewählt wird, den Sie schon kennen und mit dem Sie auf gutem Fuße stehen. Dann können Sie ihm irgendwie zu verstehen geben, welche Aussagen im Gutachten Ihnen nützlich wären. Dieser Fall wird jedoch relativ selten sein, schon weil Kollege Holzer dafür sorgt, daß kein Gutachter berufen wird, von dem man weiß, daß Sie mit ihm gute Beziehungen haben.

Also wird im Normalfall ein wirklich neutraler Gutachter berufen. Sie werden nie verhindern können, daß der Gutachter, da es sich um den Betriebsbereich von Holzer handelt, in erster Linie mit Holzer Verbindung aufnimmt. Damit es dabei nicht bleibt und der Gutachter schließlich nicht völlig dem Einfluß Holzers unterliegt, müssen Sie dieselbe Begründung vorbringen, die Sie schon vorgebracht haben, um überhaupt die Generaldirektion dafür zu gewinnen, ein Gutachten einzuholen. Sie sagen also auch dem Gutachter: »Herr Professor Bieri, Sie kennen den Auftrag der Generaldirektion: Wir alle gehen davon aus, daß es sich bei dem gestellten Problem nicht nur um ein Problem des Finanzbereiches von Holzer handelt, sondern um ein Problem, das alle Bereiche betrifft, vor allem auch meinen eigenen, das Marketing, und den meines Direktionskollegen, das Controlling. In jedem Falle wird die Gesamtdirektion schließlich die nötigen Entscheidungen fällen müssen.«

Da Professor Bieri nicht zum ersten Mal ein Gutachten erstellt, weiß er nun genau, was von ihm erwartet wird. Er hat natürlich sofort begriffen, daß es für ihn, Bieri, soll sein Gutachten überhaupt ankommen, am besten ist, wenn er sich mit der offenbar mächtigeren Gruppe, der Sie und Direktor Bucher angehören, mindestens nicht anlegt. Sie werden Bieri auch mit dem Protokollauszug der letzten Sitzung der Generaldirektion versorgen, aus dem hervorgeht, daß Sie die ganze Sache veranlaßt haben und sich offenbar bereits in einer Koalition der Mächtigeren befinden. Bieri wird sicher nicht so dumm sein, gegen die Interessen dieser Koalition zu verstoßen.

Welches sind aber die Interessen von Professor Bieri selbst? Bieri möchte auf jeden Fall, daß sein Gutachten ankommt und seine Empfehlungen von der Unternehmensleitung umgesetzt werden, damit er später sagen kann, inzwischen habe er auch bei General Mice die Unternehmensführung nach seinen Ideen nachhaltig beeinflußt. Von seinem professionellen Gewissen her wird er eine Variante vorlegen, die genau dem entspricht, was in der gegebenen Situation für das Unternehmen das beste ist. Er wird diese Variante die Idealvariante nennen. Da er weiß, daß sie die Unternehmensleitung schon wegen der personellen Konsequenzen, die sie impliziert, niemals annimmt, wird er eine Mittelvariante vorschlagen, von der zu erwarten ist, daß die Generaldirektion sie akzeptiert. Für Sie ist es natürlich völlig gleichgültig, welche Variante Bieri vorschlägt und welche befolgt wird; wichtig ist nur, daß an einigen Stellen des Gutachtens Schwächen der Finanzleitung Holzers aufgedeckt werden. Das gelingt Ihnen, indem Sie von Anfang an auf die Interessen Bieris eingehen und ihm helfen, die Informationen zu beschaffen, die er braucht, wofür er ohne Ihre Hilfe viel Zeit aufwenden müßte. Zusätzlich können Sie noch folgendes tun. Da sie mit dem Finanzchef der US-Filiale in New York befreundet sind, schlagen Sie Bieri vor, er solle sich doch einmal auch diese Außenstation ein wenig ansehen, da schließlich die Expansion in die USA sehr wichtig sei; was Bieri gerne akzeptieren wird, da er sowieso wieder einmal auf fremde Kosten New York besuchen möchte. Zugleich werden Sie Ihren Freund in New York anrufen und ihm sagen, er solle doch Bieri ein paar nette Abende verschaffen und ihm tagsüber, nicht zu frühmorgens, jene Zahlen zeigen, die gegen Holzer sprechen.

Bieri kommt von New York zurück und schreibt sein Gutachten. Im Gutachten wird vermerkt sein, daß man mit dem Finanzbereich Holzers im allgemeinen sehr zufrieden sein könne, daß jedoch Bedürfnisse der Tochtergesellschaften zum Teil zu wenig Berücksichtigung fänden, weil anscheinend gewisse Schwierigkeiten in der Kommunikation bestünden, die aber mit wenigen und einfachen Maßnahmen behoben werden könnten.

Damit ist Holzer aus dem Rennen für den im Mai frei werdenden Generaldirektionsposten.

Probleme mit der Gesundheit

Das ganze Power Play kann der Manager nur bewältigen, wenn er robust ist. Probleme mit der Gesundheit darf der Manager auf keinen Fall haben; denn sonst steht er den Streß mit den vielen Flugreisen und den ständigen Abendessen auf Geschäftsspesen in teuren Restaurants nicht durch.

Statt zu arbeiten, unterwirft sich der Manager einem Streß, den der Außenstehende gar nicht als solchen erkennt. Letztlich ließe sich also sagen, daß der gehobene Manager eben doch arbeitet, wenn auch gewissermaßen in einer passiven Weise. Mittags fliegt er – erster Klasse, versteht sich – von Zürich nach New York, wird mit Hummer und Champagner abgefüttert und unterhält sich gemütlich mit der Stewardeß. Um vier Uhr landet er in New York, wird von den Geschäftspartnern empfangen; nach einigen kurzen Gesprächen und einer Erfrischung im Hotel wird er gleich ins nächste Luxusrestaurant geschleppt, wo er sich wieder vollstopfen lassen muß mit den besten »internationalen Spezialitäten«, garniert mit teuren Weinen. Nächste Woche wird sich das gleiche in Tokio, übernächste

Woche in Rio de Janeiro wiederholen. Kein Wunder, daß unser Manager ständig Gewichtsprobleme hat, die er nur mit eiserner Disziplin und Fastenzeiten zu Hause bewältigen kann, zum Leidwesen seiner Frau, die eine gute Köchin ist. Dort, wo er es eigentlich gemütlich haben sollte, im trauten Kreis der Familie und der Freunde, muß er die widerwärtigen Schlankheitsmahlzeiten von Gastrum zu sich nehmen. Ein Topmanager kann sogar in die Situation kommen, zweimal am Abend speisen zu müssen: zuerst im Restaurant mit seiner Freundin; dann abends um zehn Uhr die Mahlzeit, die ihm seine Frau liebevoll zubereitet hat.

Daß dennoch nicht alle Manager gewaltiges Übergewicht mit sich herumtragen, sondern im Gegenteil eher schlank sind, läßt sich nur mit ihrer eisernen Disziplin erklären. Die Fastenzeiten werden genauso streng eingehalten wie in einem Kloster.

Übrigens müssen wir nachholen, daß die erste Klasse im Jet ein äußerst gefährliches Sprechzimmer ist. Die Hostessen der ersten Klasse sind über fast alle Manager der größeren Firmen, die auf der betreffenden Linie fliegen, informiert und hören eine Menge Klatsch, den sie getreulich weitertratschen. Hier ist der wunde Punkt, den manche übersehen, die sonst so diskret sind; hier, etwa nach dem dritten

Glas Champagner, löst sich bei manchem die Zunge, und er ist so naiv zu meinen, die Hosteß kenne ja doch niemanden, dem sie irgend etwas weitererzählen könnte; dabei hört er doch, daß sie nichts anderes tut.

Die künstliche Krise

Wie immer angeregt von militärischen Errungenschaften, hat auch die Betriebswissenschaft sich eine neue Methode zugelegt, nämlich die Methode der Arbeit am Simulationsmodell. Das bedeutet, daß man versucht, sich auf unvorhergesehene Situationen wenigstens im Sandkasten vorzubereiten. Beim Militär, beispielsweise, wird man den Krieg simulieren, im Detail vielleicht bestimmte Einmarschrouten des Feindes; das Peinliche ist immer nur, daß der Freund den Feind simulieren muß, solange der Krieg noch nicht da ist, und daß der Freund immer nur Situationen simulieren wird, die nicht wirklich gefährlich sind. Ein General, der Tag und Nacht nur über Schwächen und Schwachstellen der eigenen Division nachdächte, würde sehr rasch als Defaitist disqualifiziert; und wenn er dies nicht täte, bliebe er immer darin begrenzt, daß er nicht über seinen eigenen Schatten springen kann.

Seit dem Ölschock zu Anfang der siebziger Jahre, einer Art von Pearl Harbour der Weltwirtschaft, wird in der Wirtschaft der gelegentliche Luxus von Sandkastenspielen allgemein akzeptiert. Dabei werden

Planmodelle durchgespielt, in denen nicht nur mikroökonomisch der jeweilige Konkurrent am Markt als Gegner simuliert, sondern makroökonomisch die Situation insgesamt verändert wird. Z. B. wird fiktiv davon ausgegangen, daß der Dollar auf einen halben Euro heruntersinkt oder umgekehrt wieder auf vier Euro ansteigt, daß in der Schweiz das bereits historisch gewordene Friedensabkommen aufgehoben wird, so daß selbst in diesem idyllischen Lande Streiks von mehr als zwölf Arbeitern ausbrechen, daß Umweltkatastrophen im Sinne von Seveso entstehen, Finanzkatastrophen im Sinne von Chiasso (in Wirklichkeit SKA), gesundheitliche Schwierigkeiten mit Babynahrungsmitteln, gehäufte Krebsfälle nach Zigarettenrauchen, Massenauswanderung von Managern und Wissenschaftlern nach Rußland oder China usw. usw.

Je unwahrscheinlicher die Situation, die man simuliert, desto wahrscheinlicher, daß sie eintritt. Der Manager, der seinem Aufsichtsrat eine allgemeine Krisensimulation vorschlägt, wird damit immer gut fahren. Tritt die Krise nicht ein, bleibt ihm stets das Image eines langfristigen Planers; tritt die Krise ein, so wird er sich ohnehin den Ruhmeskranz dessen aufsetzen können, der genau die Dinge vorausgesagt hat, die später eingetreten sind. Demnach müßte man eigentlich meinen, daß nun alle Manager ständig mit Krisensimulationsspielen beschäftigt seien. Dem steht freilich einerseits entgegen, daß solche Unternehmungen zu aufwendig sind, und anderseits vor allem das Defaitismusargument: Man soll den Teufel nicht an die Wand malen, self-fulfilling prophecy usw. Da das Management dank unserem Freund Keller aus lauter Optimisten und aus Leuten besteht, die Optimismus mit Erfolg verwechseln, hat aber unser Defaitist, zumal er seinen Pessimismus nur simuliert, eine um so größere Chance. Selbst ein durchschnittlicher, aber geschickter Manager kann sich damit in den Ruf eines weisen und vorausblickenden Mannes bringen. Wenn das Planspiel nachher durchgezogen wird, ist zwar ziemlich viel Intelligenz nötig, doch braucht dann der durchschnittliche, aber geschickte Manager gar nicht mehr in leitender Rolle dabeizusein. Es genügt, daß er die ganze Sache dem Aufsichtsrat vorgeschlagen hat; schon damit schafft er sich einen Vorsprung.

Ist unser Manager gar intelligent und geschickt, dann wird es ihm gelingen, das Planspiel total umzufunktionieren zu einer Stärkung seiner eigenen Position. Da er das Planspiel angeregt hat, wird er auch schon vorher dafür sorgen, daß in seinem Bereich alles rund läuft, wenn der Test angesetzt wird. Bei seinen Kollegen aber, die schon darum nicht so gut vorbereitet sind wie er, weil sie die Anregung nicht gemacht haben und bei der Ausarbeitung des Spiels auch weniger intensiv beteiligt waren, werden einige Fehler zutage gefördert werden. Hinzu kommt, daß unser Manager, dem es gelungen ist, den Aufsichtsrat von der Notwendigkeit des Planspiels zu überzeugen, zweifellos auch Chef des Planungsstabes wird, so, wie der Gründer eines Unternehmens, mindestens vorläufig, auch immer dessen Chef ist. Der Machtgewinn unseres Managers wird nicht zuletzt darauf beruhen, daß er sich dank seiner Planspiel-Position Informationsvorsprünge verschafft, die ein anderer nie erreichen könnte. Unser Manager kommt zu mindestens zwei Vorteilen: Erstens wird er mühelos seine Kompetenzgrenzen überschreiten, in jedem Büro mal schnell vorbeischauen und Informationen sammeln, die er sonst nur auf dem Dienstweg bekäme; zweitens wird er den Status eines Experten erreichen, fast so hoch und »unabhängig« wie Professor Bieri, da er ja nun von außen und nicht mehr von innen an die Firma herantritt.

Dirty Tricks

Man kann das Power Play auch ohne »dirty tricks« spielen. Werden sie dennoch nötig, müssen sie wohldosiert und nur auf eine Weise angewendet werden, daß man sie nicht als solche erkennt.

Ein bewährter Trick ist das Gerücht. Das Gerücht muß mindestens einen wahren Kern haben, sonst wird die Aussage zur Verleumdung; und es besteht ein sehr hohes Risiko, daß die Verleumdung auf den Täter zurückfällt. Das nützliche Gerücht über einen Gegner, den es auszuschalten gilt, kann beispielsweise in der Hochrechnung oder Verallgemeinerung von einzelnen wirklichen Vorkommnissen bestehen.

Sie treffen z. B. auf dem Golfplatz Ihren Bekannten Fromm, der lachend von Ihrem Gegner Lamm erzählt, daß er doch wahrhaftig letzte Woche in sichtlich angeheitertem Zustand auf den Golfplatz gekommen sei, schon am Vormittag. Nun schalten Sie sofort: »Für mich ist das eigentlich nichts Neues; vor einem Monat war doch die Beerdigung unseres früheren Aufsichtsratsvorsitzenden, und da war Lamm nach der Trauerfeier beim Zusammensein der Trauergäste im Restaurant am Schluß total betrunken. Das kann natürlich jedem mal passieren, aber Lamm sollte doch wohl etwas mehr auf seine Gesundheit achten.« Nun ist es Ihnen gelungen, zwei Einzelvorkommnisse so zu verknüpfen, daß aus Lamm ein echter Alkoholiker geworden ist.

Ein weiterer Trick aus der Gerüchteküche ist der Schonungstrick, der sich auf die Gesundheit bezieht. Ihr Gegner Lamm war vielleicht in den letzten drei Monaten zweimal zwei Tage krankheitshalber abwesend. Nun werden Sie zum Vorgesetzten, der Lamm auf eine Geschäftsreise nach Tokio schicken will, sagen: »Vielleicht könnte doch sein Stellvertreter, der ja auch sehr gut informiert ist, die Reise machen; denn ich habe den Eindruck, daß es Lamm in letzter Zeit nicht so besonders gutgeht. Auch beim Tennisspielen macht er nicht mehr mit, und Sie haben vielleicht selbst gesehen, daß er einen etwas angeschlagenen Eindruck macht. Wir müssen doch dafür sorgen, daß er nicht ausfällt, und ihn unbedingt ein wenig schonen, wenigstens für die nächste Zeit.« Der Chef wird stutzig und erinnert sich sofort an eine eigene Beobachtung: Lamm war doch bei der letzten Sitzung eher etwas nervös, auch in seinen Reaktionen, wo er doch früher immer alles ziemlich gelassen nahm; wahrscheinlich ist es tatsächlich besser, wir schicken seinen Stellvertreter nach Japan. Der Vorgesetzte hat, wenn mit dem Stellvertreter alles gut läuft, das Gefühl, eine richtige Entscheidung getroffen zu haben, und außerdem den Eindruck, Sie, die ihm das Schonungsargument unterbreitet haben, seien eigentlich ein sehr rücksichtsvoller Kollege. Im Endeffekt allerdings hat das Schonungsargument für Lamm äußerst schädliche Folgen. Für eine demnächst zur Diskussion stehende Beförderung kommt er jedenfalls nicht mehr in Frage. Auch der Stellvertreter ist jetzt zufrieden; erstmals konnte er, ein noch ziemlich junger Mann, mit vollem Einsatz seine Leistungsfähigkeit unter Beweis stellen. Die Vorgesetzten Lamms haben über ihn jetzt alle die Meinung, man könne ihn nicht noch mehr belasten und ihm keine neuen Verantwortlichkeiten übertragen, was letztlich bedeutet, daß er auf einem Abstellgleis endet.

Wenn Ihnen ein Gerücht über Sie selbst hinterbracht wird, gibt es einen einfachen Test, um zu erfahren, ob der Gesprächspartner, der Ihnen die Sache zuträgt, auf Ihrer Seite steht oder auf der anderen. Wenn er Ihnen das Gerücht in seinem ganz konkreten Inhalt darstellt und Sie dazu Stellung nehmen läßt, selbst vielleicht noch durchblicken läßt, daß er nicht daran glaube, dann besteht eine gewisse Vermutung, daß er auf Ihrer Seite steht.

Wenn er dagegen nur bemerkt, der andere habe sich negativ über Sie geäußert, dann ist es besser, Sie gehen davon aus, er stehe auf der Seite Ihres Gegners und er glaube das Gerücht mindestens teilweise.

Der Frauentrick wird zwar in den nördlichen Ländern nicht praktiziert, müßte jedoch auch hier erfolgreich sein. Ihr Gegner und Konkurrent für den Generaldirektionsposten muß öfters nach New York fliegen. Er ist eine typische graue Maus mit einer entsprechend verklemmten, aber immerhin vorhandenen Sexualität. In Europa würde er es sich nie erlauben, an einen Seitensprung auch nur zu denken; aber drüben in New York wäre das etwas ganz anderes, und insgeheim oder eigentlich fast schon unbewußt sehnt sich Lamm auch nach so einem schönen, intensiven Erlebnis. Nun haben Sie schon seit Jahren ein paar Freunde in New York, die sich dort sehr gut auskennen und viele Bekannte haben. Darunter auch eine kleine Sekretärin, die schon viele Erfahrungen mit Vorgesetzten, auch intimer Natur, gesammelt hat und immer ein wenig mehr Geld ausgibt, als sie verdient. Judy wird von einem Ihrer Freunde leicht dafür zu gewinnen sein, das folgende Spielchen mitzumachen. Ihre New Yorker Bekannten kennen natürlich auch Lamm, sind aber nicht mit ihm, sondern mit Ihnen befreundet. Auf Ihren Vorschlag hin werden diese beiden Freunde bei Lamms nächstem Besuch ihn gediegen zu einem Abendessen einladen und Judy als gemeinsame Bekannte mitbringen. Judy, entsprechend instruiert und entlohnt, wird dem Lamm Komplimente machen und zeigen, daß sie ihn für einen ungemein interessanten Mann hält. Sie ist ohnehin schon immer fasziniert gewesen von Europa und den Europäern, und gleich am ersten Abend wird es mindestens so weit kommen, daß sie ihm ihre Telephonnummer gibt. Beim nächsten Mal ist es dann soweit, daß die beiden sehr vertraulich, möglicherweise schon intim werden. Dann wird Judy, entsprechend informiert und entlohnt, aus Lamm alle Informationen herausholen, die Sie benötigen und die Ihnen über Ihre Freunde in New York vermittelt werden. Nach Lamms viertem oder fünftem Trip nach New York – seine Reisen dorthin haben sich übrigens in der letzten Zeit etwas gehäuft – werden Sie Lamm ansprechen und harmlos fragen: »Haben Sie nicht auch die muntere Freundin von John Oldwin, die kleine Judy, kennengelernt?« Lamm ist verdattert, zugleich alarmiert. Er weiß, daß Sie alles wissen, weiß aber nicht, was Sie mit Ihrem Wissen anfangen. Die

Angelegenheit wird vorläufig nicht weiter verfolgt, bleibt aber im Raum stehen. Sie werden Lamm natürlich nicht erpressen; das wäre der zu schmutzige Trick, der schließlich wieder auf Sie zurückfallen würde. Aber Sie werden ohne eigenes Zutun feststellen können, daß Ihnen Lamm seine Koalition anbietet und auf eigene Dirty Tricks, ja, sämtliches Power Play gegen Sie verzichtet. Dadurch wird Ihre Position ihm gegenüber immer besser, und die Wahrscheinlichkeit wächst, daß Sie ihn bei der Wahl zum Generaldirektor überrunden. Denn Lamm kann seine Machtmittel nicht mehr voll ausschöpfen.

Das Power Play hat etwas von der Vornehmheit des Schachspiels: Der König wird matt gesetzt, nie gefressen.

Übrigens hat sich die Geschichte mit Judy auch für die Firma als ein großer Vorteil erwiesen. Da Direktor Lamm seine häufigeren Reisen nach New York vor dem Unternehmen, vor allem aber vor sich selbst rechtfertigen mußte – hatte er doch ein ganz, ganz schlechtes Gewissen (vor seiner Frau und vor der Firma, die ihm die Spesen bezahlte; allerdings hat er nie Firmengeld für Judy ausgegeben; einen so katastrophalen Fehler hat er natürlich nicht gemacht) –, entfaltete er eine sehr viel stärkere Aktivität zugunsten des Unternehmens als bisher, mit der Folge, daß der Markt in Amerika einen aufsehenerregenden Aufschwung nahm.

Im historischen Rückblick läßt sich feststellen, daß mindestens während der Gründerzeit die ursprünglichen Eigentümer und etwas später deren unmittelbare Nachkommen Filialbetriebe in denjenigen Ländern zum Entstehen und Expandieren brachten, in denen sie attraktive Freundinnen kennenlernten. Gewisse Filialen internationaler Konzerne sind für den Kenner der Firmengeschichte heute noch mit den Namen bestimmter Mätressen verbunden.

Sünder, Sündenböcke und Opfer

In allen, selbst den größten Unternehmen können Pannen passieren, die ein solches Ausmaß annehmen, daß sie weder vertuscht noch verharmlost werden können, sondern echtes öffentliches Aufsehen erregen. Auch wenn die Firma den Skandal finanziell mühelos verkraftet, indem sie z. B. stille Reserven im Betrage von 2,5 Milliarden auflöst, kann die Angelegenheit nicht ohne Sühne bewältigt werden. Jemand muß geopfert werden. Die Gottheit Öffentlichkeit läßt sich nur durch ein solches Sühneopfer besänftigen.

Da die Gottheit zürnt und entsprechend ungeduldig ist, muß ihr das Opfer rasch dargeboten werden, d. h. man muß es nach groben und einfachen Kriterien aussuchen. Das erste Gesetz heißt: Der Größe des Schadens muß die Größe des Opfers entsprechen. Bei einer Panne mit 2,5 Milliarden Verlust könnte eigentlich nur der Präsident des Aufsichtsrates das angemessene Opfer sein. Wenn man diesen aber feuert, werden nicht nur das betreffende Unternehmen, sondern alle Unternehmen betroffen, wo der Präsident im Aufsichtsrat sitzt. Die Katastrophe würde vergrößert statt behoben. Ein weiterer Beweis dafür, wie gut die externe Absicherung funktioniert.

Andererseits ginge es auch nicht an, allein den Filialdirektor zu entlassen, der den Schaden wirklich angerichtet hat, zumal er dafür später ohnehin zivilrechtlich und strafrechtlich haftbar gemacht wird. Die innere Konsequenz des Systems verlangt damit, daß der Generaldirektor, in dessen Geschäftsbereich die Filiale liegt, wo die Panne sich ereignet hat, gefeuert wird, obwohl allen völlig klar ist, daß er, der Generaldirektor, diese Panne nicht verhindern konnte. Trotzdem wird er gefeuert, und er wird, wenn er klug ist, sogar selbst darum bitten, gefeuert zu werden. Würde sein Opfer nicht gebracht, dann würde die politische Opposition, meistens links angesiedelt, daraus politisches Kapital schlagen, indem sie aus dem Sonderproblem des einen Unternehmens ein Problem der gesamten Branche machte und behauptete, man müsse z. B. eine öffentlichrechtliche Bankenkontrolle einrichten oder eine Chemiekontrolle, wie auch immer. Die politische Opposition würde auch sagen: Wenn wir über das Institut der Mitbestimmung dabeigewesen wären, hätte so etwas nie passieren können. Das ist natürlich Unsinn, aber es bringt politisches Kapital. Der Angriff muß auf jeden Fall abgewehrt werden. Er kann nur abgewehrt werden, indem ein Opfer gebracht wird, das groß genug ist, um von der erzürnten Gottheit angenommen zu werden, aber doch nicht so groß, daß es außerhalb des Unternehmens Schwierigkeiten gibt. Alles läuft also auf den Generaldirektor zu, und er hat sein Opfer auch schon angeboten.

Da sämtliche Branchenkenner wissen, daß der Generaldirektor unschuldig geopfert wurde, wird ein großes Wohlwollen und Mitleiden um ihn herum ihn weitertragen, auch solange er im Warteraum steht. Nach einer angemessenen Trauerzeit wird er das Angebot erhalten, bei einem anderen Großunternehmen einen verantwortungsvollen und etwas besser bezahlten Posten zu übernehmen. Die Rolle des Sündenbocks hat sich für ihn gelohnt. Über den bisherigen Lohn hinaus bekommt er die übliche Aufbesserung, die immer mit einem Stellenwechsel verbunden ist, und außerdem ein Schmerzensgeld für die Wunden, die ihm als Opfer geschlagen wurden.

Ehrlicherweise muß gesagt werden, daß der Generaldirektor in unserem fiktiven Fall eine sehr hohe Moral an den Tag legte, indem er ohne jede Schuld sich freiwillig anerbot, durch sein Opfer das Problem für die Firma zu lösen. Daß nachher Belohnungen kamen, die, hinterher betrachtet, seine Moral objektiv weniger hochstehend erscheinen lassen, weil sie größer waren als das Opfer, ist keineswegs von ihm erwartet oder gar geplant worden. Es handelte sich dabei ganz einfach um die Überreaktion einer Kollegialität, wie sie eben so spielt auf den höheren Ebenen des Managements.

Übrigens muß vermerkt werden, daß sich auch der Aufsichtsratsvorsitzende in unserem fiktiven Fall anerboten hatte zurückzutreten, schon weil er noch weniger echte Verantwortung an der Panne trug als der schließlich geopferte Generaldirektor. Dem Aufsichtsratsvorsitzenden wurde indessen sein Opferwille schnell ausgeredet. »Herr Apel, wenn Sie zurücktreten, schaden Sie der gesamten Wirtschaft. Sie sind ja nicht nur für Ihr Unternehmen verantwortlich, sondern zugleich für alle anderen Unternehmen, in deren Aufsichtsrat Sie sitzen und denen Sie Ihren Ruf und kompetenten Rat leihen. Wenn Sie hier zurücktreten, dann wird todsicher bei einer anderen Generalversammlung irgendein idiotischer Kleinaktionär eine große Rede halten und ganz ordinär fragen: ›Können wir uns den Pannenfritzen von der anderen Gesellschaft, wo er doch zurücktreten mußte, noch leisten?‹ Also müssen Sie im Interesse unserer Branche und aller anderen Branchen bleiben, in derselben Verantwortung, die Sie immer verantwortungsvoll wahrgenommen haben, ganz abgesehen davon, daß man Ihnen wirklich nichts vorwerfen kann.« In der Tat hatte sich Aufsichtsratsvorsitzender Apel nichts vorzuwerfen, nicht mehr jedenfalls als der gefeuerte Generaldirektor, dessen späteres Schicksal wir schon dargestellt haben.

Der beschriebene Vorgang ist der Fall des Sündenbocks, der zur Besänftigung der Gottheit geopfert, dann aber später für sein Opfer von anderer Seite massiv belohnt wird, so daß wir ihn eigentlich den nur symbolischen Sündenbock nennen können. Nicht weiter interessant ist für unsere Darstellung der wirkliche Sünder selbst, den man bei der Riesenpanne mindestens dann eruieren kann, wenn die Riesenpanne durch aktives, z. B. spekulatives Verhalten verursacht wurde. Sogar die Gesetze des Staates, selbst die Strafgesetze funktionieren in diesem Fall; sogar der Staatsanwalt wird den echten Sünder schließlich finden.

Etwas anders liegt der Fall, wenn die Riesenpleite durch bloße Unterlassungen hervorgerufen wurde, z. B. nach dem Gesetz der 50jährigen Männer, das wir schon erläutert haben. Dann wird bei der Riesenpleite der Staat, bevor er mit massiven Subventionen zur Sanierung schreitet, ein Opfer fordern.

Da unter den 50jährigen Männern die Verantwortung nicht zu lokalisieren ist, aber dennoch einer geopfert werden muß, wird man denjenigen suchen und finden, der einen von den scheinbar kleinen Fehlern gemacht hat, die wir als besonders gefährlich in diesem Buch noch beschreiben werden. Opfer wird z. B. einer, der kürzlich einmal in angetrunkenem Zustand ertappt wurde.

Der dritte Fall ist der grausamste, nämlich jener, wo jemand geopfert wird, obwohl überhaupt nirgends eine Panne oder ein Skandal passiert ist. Man könnte ihn unter das Motto stellen: Es rast der See und will sein Opfer haben. Jedes größere Unternehmen muß sich seine eigene Dynamik dadurch beweisen, daß es hin und wieder einen hohen Manager feuert, auch wenn dafür überhaupt kein objektiver Grund besteht. Damit erreicht es zugleich zwei weitere Vorteile: Den jüngeren Managern wird demonstriert, daß es im Unternehmen Aufstiegschancen gibt, weil auch hin und wieder ein noch in den besten Jahren stehender Manager seine Stelle Knall auf Fall verliert, so daß auf der oberen Stufe immer wieder Freiräume entstehen, in die die Jüngeren nachrücken können. Den jüngeren *und* den älteren Managern wird außerdem klargemacht, daß die Stühle, auf denen sie sitzen, keineswegs als sichere Pfründe anzusehen sind. Die Situation des Managers muß immer und überall riskant bleiben, damit er nicht etwa zu meinen beginnt, er könne sich auf irgendwelchen Lorbeeren ausruhen. Irgendein amerikanischer Topmanager hat dies einmal so ausgedrückt: Life is risky at the top.

Wir können Sie allerdings beruhigen. Der Blitz, der scheinbar zufällig immer wieder mal einschlägt, trifft doch nur den, der sich am falschen Ort befindet; konkret gesprochen heißt dies, daß sich das grundlose und unschuldige Opfer wiederum stets im Kreise derer finden läßt, die die Regeln dieses Buches nicht beachten. Das Unternehmen bestraft nicht wegen eines Mißerfolges, der gar nicht vorhanden ist, sondern es bestraft den Regelverstoß als solchen aus der Überlegung, daß einfach ein Opfer her muß.

Die Prominenz

Oberhalb der Topmanager gibt es eine Sphäre, eine schon fast überirdische, in der sich nur einige wenige Auserwählte bewegen: die Prominenz. Zur Wirtschaftsprominenz gehören von Natur aus und aufgrund ihrer Position von jedem Großkonzern nur zwei Personen: der Präsident des Aufsichtsrates und der Präsident der Generaldirektion. Selbstverständlich gehören dazu auch die erfolgreichen Eigentümer gewisser Unternehmen, zumal sie ja immer zugleich Präsidenten ihrer Aufsichtsräte sind. Wer zur Prominenz gehört, vor dem fallen alle Schranken. Der Prominente kann sich ohne jeden Nachteil z. B. mit einem kommunistischen Künstler in einem öffentlichen Lokal zeigen. Diese Toleranz entspricht wiederum einer gewissen Gesetzmäßigkeit: Prominenz leitet sich immer von Prominenz ab; wenn Hermann Josef Abs sich mit Helmut Schmidt trifft, dann bescheinigt jeder dem anderen, daß er zur Prominenz gehört. Keinem Prominenten werden Verbindungen zu anderen Prominenten aus irgendeinem anderen politischen Lager zum Vorwurf gemacht. Im Gegenteil: Man spricht dann von den *nötigen* Kontakten der Spitzen der Wirtschaft, der Wissenschaft und der Politik.

Daß sich aus dem Prominenzbescheinigungsbedürfnis der Prominenz sogar ein Geschäft machen läßt, zeigen die Davoser Symposien, die alljährlich von einem Genfer Professor organisiert werden, der es verstanden hat, seine Veranstaltung so exklusiv zu gestalten, daß sie für die Prominenz attraktiv geworden ist. Wenn der frühere Premierminister von England, der Botschafter Deutschlands in China und der letzte Nobelpreisträger für Wirtschaftswissenschaften Vorträge halten, dann dürfen dazu natürlich nur wirklich Prominente kommen, deren Firma sie zum Symposium entsendet und für die Ehre, die mit der gegenseitigen Prominenzbescheinigung verbunden ist, dem Genfer Professor sehr viel Geld zahlt. Hinzu kommt, daß die Redner so prominent sind, daß sie für ihre Vorträge keine Honorare mehr verlangen, sondern wiederum damit zufrieden sind, daß sie sich selbst durch ihren Vortrag vor der Prominenz Prominenz bescheinigt haben.

Je höher ein Topmanager auf der Stufenleiter gestiegen ist, desto mehr entsteht, nach der Befriedigung aller finanziellen Bedürfnisse, die Sehnsucht, irgendwie am höheren Ruhm der Weltgeschichte teilzunehmen. In die Weltgeschichte wird man natürlich nie dadurch eingehen, daß man einmal zehn Jahre Präsident des Aufsichtsrates von Pandora war. Man könnte aber vielleicht dafür sorgen, mindestens zu Lebzeiten dadurch bekannt zu werden, daß man z. B. mit einem weltberühmten Filmstar, mit dem Bundespräsidenten oder dem Herzspezialisten Barnard befreundet ist.

Daß es der Wirtschaftsprominenz zu ihrem eigenen Leidwesen nicht so richtig gelingen will, sich ihre Prominenz bei der Prominenz des Geisteslebens bescheinigen zu lassen, liegt schlicht darin begründet, daß es Böll, Frisch, Grass usw. ganz einfach nicht interessiert, sich mit Wirtschaftsbossen zu unterhalten, es sei denn, sie möchten gerade ein Buch über Wirtschaftsbosse schreiben, was ziemlich unwahrscheinlich ist. Jetzt rächt sich das konventionelle Vorleben der grauen Maus; jetzt, wo der Topmanager es sich leisten könnte, ein bunter Vogel und damit auch für einen berühmten Schriftsteller ein interessanter Gesprächspartner zu werden, jetzt ist es zu spät – er kann sich das Fell der grauen Maus, das er seit 20 Jahren trägt, nicht mehr über die Ohren ziehen.

Hinzu kommt, daß Wirtschaftsprominenz immer auf einem Clubbewußtsein beruht. Prominenz muß sichtbar und überall vorhanden sein; in einer Stadt von einer Million Einwohnern trifft es etwa hundert. Dazu gehören unsere Topmanager, die Spitzenpolitiker, einige bekannte Wissenschaftler, insbesondere Chirurgen oder sonstige Professoren, die öfters im Rampenlicht stehen, was mit ihrer wissenschaftlichen Qualifikation überhaupt nichts zu tun zu haben braucht.

Eine wichtige Rolle bei der Bescheinigung des Prominentseins spielen die Journalisten, vor allem die Redakteure von Klatschkolumnen. Da die Journalisten jedoch nicht daran interessiert sind, die wirklichen Ränge zu bezeichnen, vielmehr daran, dem breiten Publikum wichtige Tiere oder scheinbar wichtige Tiere vorzuführen, entsteht die Gefahr, daß der wirklich Prominente, der mehr als einmal im Jahr in der Klatschkolumne erwähnt wird, sei es, weil er bei einer Vernissage oder bei der Uraufführung eines Theaterstückes dabei war, in den Geruch kommt, zu eben jener Scheinprominenz zu gehören, die den Inhalt der Klatschspalten bildet.

Eigentlich ist das Ganze für den Topmanager, der es sich jetzt endlich leisten könnte, sich mit interessanten Leuten zu umgeben, eher frustrierend. An Karajan wagte er sich schon gar nicht heran; außerdem hätte er nicht recht gewußt, was er mit ihm zu besprechen hätte. Schließlich wird sich auch unser

Topmanager, der ja inzwischen 60 Jahre alt geworden ist, damit abfinden, seine Prominenz auf höherer Ebene, aber in ebenso konventioneller Form darzustellen wie früher die Statussymbole der grauen Maus: Er wird z. B. mit dem Präsidenten der Bundesbank auf die Hochseefischerei oder mit dem Präsidenten der Pandora auf Bärenjagd in den Karpaten gehen. Das alles kann natürlich sehr gemütlich sein, doch ist es nicht eigentlich das, wovon man nach einem so langen und entbehrungsreichen Leben geträumt hat. Freilich sind auf dem langen Weg nach oben auch die Träume verflogen.

Inzwischen werden auch die Manager unter dem Topmanager dafür sorgen, daß die Supermaus möglichst oft und lange jagt oder fischt, jedenfalls vom Hauptsitz des Konzerns abwesend ist, damit sie daran gehindert wird, Fehlentscheidungen zu treffen, die mit zunehmendem Alter naturgemäß häufiger werden. Die Tragik der Supermaus bleibt die Tragik der grauen Maus. Nach allen Legenden sollte die Schönheit des Alters die Weisheit sein. Ein Managerleben aber ist so konstruiert, daß es auch im Alter selten zur Weisheit führen kann. Darum wird auch unser Topmanager niemals der Autor dieses weisen Buches sein können. Vielleicht käme er auf die Idee, einen jüngeren und noch ziemlich erwerbslosen Schriftsteller als Ghostwriter für seine Memoiren zu engagieren; doch könnten sich aus diesem Vorhaben bestenfalls Memoiren ergeben, wie Memoiren nun eben einmal sind: nämlich eine Reihe von Anekdoten, vor allem mit prominenten Leuten, worin der Alte jeweils besser wegkommt, als es in der historischen Wirklichkeit der Fall war.

Die Legenden von der Arbeit und von der Verantwortung

Alle Manager reden ständig von ihrer schweren Verantwortung, und damit wollen sie zweierlei rechtfertigen: Erstens daß sie sehr viel Geld verdienen, und zweitens daß sie im Grunde nicht arbeiten. Es gibt also eigentlich zwei Legenden: die Legende von der Arbeit und die Legende von der Verantwortung.

Daß ein Topmanager nicht arbeitet, ist durchaus normal und begründet keinerlei Vorwurf, denn je höher jemand in einer Machthierarchie steht, desto mehr hat er nur noch dafür zu sorgen, daß die anderen arbeiten, und deren Arbeit zu kontrollieren. Ein General liegt schließlich auch nicht im Schützengraben, es sei denn anläßlich einer Demonstration für die Presse. Natürlich ist das Kontrollieren auch eine Beschäftigung; sie aber Arbeit zu nennen, bei welchem Wort man doch etwa an die Tätigkeit eines Handwerkers, Anwalts oder Arztes denkt, ist mindestens nicht ganz exakt, wenn nicht gar irreführend. Trotzdem sprechen alle Topmanager dauernd von ihrer Arbeitsüberlastung. Natürlich *schlafen* sie nicht in ihren Büros; sie kommen sogar meistens schon um acht Uhr früh ins Geschäft, gehen allerdings sehr oft um halb zehn wieder weg, gleichgültig, wohin, bleiben aber immer erreichbar – dafür ist die Sekretärin da. Auch wenn der Herr Generaldirektor sich in einem öffentlichen Haus befinden sollte oder, was häufiger der Fall ist, zwischen zwei Löchern auf dem Golfplatz, müssen ihm telephonisch Nachrichten überbracht werden können. Nicht erreichbar zu sein ist eine der schwersten Sünden im Leben eines Managers.

Wie verhält es sich aber in den Ferien? Auch Manager haben nur Anspruch auf etwa fünf Wochen Ferien im Jahr. In diesen Ferien, die unser Manager z. B. im Suvretta in St. Moritz verbringt, brauchte er eigentlich nicht erreichbar zu sein; er wird es aber mit Vorteil so einrichten, daß die Sekretärin ihm hin und wieder Telefaxe durchgibt, was für ihn – nebst einer laufenden Orientierung für das Power Play – im Hotel die angenehme Folge hat, daß das Personal sofort auf seine Wichtigkeit aufmerksam wird und ihn mit der ihm gewohnten Bevorzugung behandelt.

Zur Ferienverlängerung gibt es zwei Tricks, die sich sehr bewährt haben. Der erste Trick ist der Klausurtrick. Der Klausurtrick besteht darin, daß der Manager an seine Ferien im Suvretta eine Woche anhängt, in dieser Woche aber jeden Tag zweimal seine Sekretärin anruft und ihr die Ergebnisse seiner Überlegungen mitteilt – im vollen Bewußtsein, daß die Sekretärin im Unternehmen herumerzählt, der Manager sei am Denken. Diese Tage sind selbstverständlich keine Ferien mehr, sondern eine Klausurtagung mit nur einem einzigen Mitglied, das eben wegen Arbeitsüberlastung sonst zum Denken keine Zeit hat. Der Klausurtrick kann erforderlichenfalls auch dafür verwendet werden, daß eine Sekretärin, die zufällig oder nicht zufällig mit dem Chef ein Verhältnis hat, die Zwischenresultate des Nachdenkens im Suvretta in der Form von Notizen oder kleinen Tonbändern abholt. Denn es ist selbstverständlich ganz unmöglich – und würde selbst dann, wenn keinerlei Tatsachen damit verbunden wären, zu den wildesten Gerüchten führen –, daß der Chef und die Sekretärin »zufällig« gleichzeitig Ferien machen. Auch aus anderen Gründen verbietet es sich: einer von ihnen muß immer den Platz halten; andernfalls könnten die Kollegen ungestört Intrigen spinnen oder gar einen Putsch planen. Eine gute Sekretärin wird sich außerdem in Abwesenheit ihres Chefs eine Stufe höher schalten, indem sie jetzt selbst diejenigen Informationen verlangt, die sonst nur dem Chef zustehen, z. B. wird sie im Büro der Sekretärin des Direktionskollegen vorbeikommen und sagen:

»Ruth, gib mir doch bitte das Protokoll der letzten Direktionssitzung, an der mein Chef wegen seiner Klausur nicht anwesend sein konnte, damit ich es ihm sofort schicken kann; ich muß ihm sowieso noch den Brief des Präsidenten der Arbeitgebervereinigung nachsenden.«

Der zweite Trick ist der Trick des verlängerten Wochenendes mit vorgeschalteter zweijähriger Ferienlosigkeit. Auch dieser hat sich bewährt. Sie kommen frisch in einen Betrieb, arbeiten sich eifrig ein und erklären, daß es Ihnen wegen Arbeitsüberlastung leider unmöglich ist, Ihren Ferienanspruch geltend zu machen. Nach etwa zwei Jahren wird allgemein getuschelt, daß Direktor Tropdezèle in seiner Arbeit nicht nur völlig aufgehe, sondern sich in ihr sogar aufreibe. So kann Direktor Tropdezèle damit rechnen, daß eines Tages der Präsident des Unternehmens, dem Tropdezèle im Flur zufällig begegnet, ihn beiseite nimmt und sagt: »Also Herr Tropdezèle, jetzt müssen Sie endlich einmal abschalten; Sie sind für mich ein zu wichtiger Mann, als daß ich es riskieren könnte, Sie wegen eines Herzinfarkts zu verlieren. Unter uns, ich *befehle* Ihnen, daß Sie jetzt endlich einmal in Urlaub gehen und mal richtig abschalten. Übrigens – das sage ich nur Ihnen – gehen Sie mit Ihrer hübschen Frau ins Palace in Silberwald, da bin ich seit Jahren immer sehr gut bedient worden; der Direttore Agostino – Sie können sich auf mich berufen – wird Sie sicher ebenso vorzüglich behandeln wie mich.« Jetzt hat Direktor Tropdezèle mit einer Klappe zwei Fliegen getroffen. Zum einen wird er nun, da er im selben Hotel absteigen darf wie der Präsident, vor seinen Kollegen profiliert, vom Hauch der Exklusivität und des unweigerlich eintretenden Aufstieges umgeben; zum anderen wird er jetzt den Trick der verlängerten Wochenenden ausgiebig anwenden können. Er wird immer wieder einmal auch am Montag abwesend sein können; denn das Gerücht, daß er äußerst gestreßt ist und sich kaum je Entspannung gönnt, wird ihn für immer begleiten.

Wir haben zuvor behauptet, daß Topmanager nicht eigentlich arbeiten. Die Aussage muß insofern relativiert werden, als sich beim höchsten Topmanager Arbeit und Freizeit überhaupt nicht mehr unterscheiden lassen. Wenn sich der höchste Topmanager auf dem Golfplatz befindet, hat er immer auch äußerst wichtige Gespräche mit anderen Topmanagern, die ebenfalls nicht arbeiten, sich aber durch diese Gespräche gegenseitig bescheinigen, daß sie arbeiten. Die Sache ist ambivalent. Die bösen Mäuler würden sagen, daß die Topmanager immer in den Ferien sind; die guten Münder würden sagen, daß sie immer arbeiten.

Die Topmanager sind so weit erhöht über die gewöhnlichen Menschen, die im Betrieb arbeiten, daß sie auch deren Blicken und möglichen Kontrollen von unten vollständig entzogen sind. Es wird nie geschehen, daß ein Arbeiter in einer Betriebsversammlung sich darüber beklagt, daß der Topmanager Stark zu oft beim Skifahren oder Golfspielen zu erblicken sei. Dagegen würde sich der Arbeiter sofort beschweren, wenn er sieht, daß sein direkter Vorgesetzter die Arbeitszeit nicht pünktlich absolviert. Bestehen nur genug Trennungsstufen zwischen dem Untergebenen und dem Vorgesetzten, wird die Kontrolle von unten nicht nur unmöglich, sondern sogar *undenkbar*. Wer sich ganz oben befindet, genießt den Kredit eines Gottes, der jedem Urteil entzogen ist. Die Götter auf dem Golfplatz sind so weit entrückt, daß nie jemand genug von ihnen zu sehen bekommt, um sie kritisieren zu können.

Immerhin besteht da noch ein gewisses Problem. Bei ganz großen Konzernen kann es wegen der großen Zahl der Topmanager doch hin und wieder auch den Untergebenen auffallen, daß jene nur sehr unregelmäßig in ihrem Büro anzutreffen sind. Das kann zu Mißverständnissen und Verstimmungen führen, und diesen Mißhelligkeiten muß vorgebeugt werden. Es muß verhindert werden, daß die Nichtarbeitenden und die Arbeitenden sich gegenseitig in ihrer Tätigkeit stören. Deshalb sind viele Großkonzerne auf die Idee gekommen, die Nichtarbeitenden von den Arbeitenden auch räumlich abzusondern in eine Konzernzentrale. Darum befinden sich fast alle Konzernleitungen in der City einer Großstadt mit Flughafen, selbst wenn die Fabrikationsbetriebe weit draußen auf dem Land liegen. Der Laie würde vermuten, daß sich daraus Kommunikationsschwierigkeiten ergeben. Das ist durchaus nicht der Fall. Kommunizieren müssen die Topmanager nur mit anderen Topmanagern; ihre direkt Untergebenen befinden sich ebenfalls in der Konzernzentrale, und nur diese müssen ständig hin- und hertelephonieren und hin- und herreisen zwischen der ländlichen Fabrikationsstätte und der städtischen Zentrale. Die geographische Distanz zwischen den Arbeitsstätten und dem Ort der nicht mit Arbeit Beschäftigten ist übrigens völlig irrelevant für das Gedeihen des Unternehmens. Relevant allerdings ist sie für das Wohlbefinden der Topmanager und zugleich für deren Ansehen. Je größer die Distanz, desto höher das Ansehen. (Die wenigen nötigen Mitteilungen, die zwischen der Oberschicht und der

Basis ausgetauscht werden müssen, lassen sich ohnehin elektronisch, durch Telephon, Telefax usw. übermitteln.) Es bringt immer mehr Ansehen, wenn jemand von weit herkommt. Nicht von ungefähr gilt im Deutschen die Redeweise als abwertend, wenn von jemandem gesagt wird, »der sei nicht von weit her«. Wenn ein Topmanager von Frankfurt nach London fliegt, dann bedeutet dies viel mehr, als wenn er von Birmingham nach London käme, obwohl die Zeitdistanz genau die gleiche ist. Es kommt eben auf die geistige Distanz an. Wenn der Topmanager von Birmingham kommt, handelt es sich um einen Besuch; kommt er aber von Frankfurt oder gar von New York, dann ist es eine Inspektion. Wenn Sie von Birmingham kommen, wird man in London ohne weiteres sagen: »He dropped in.« Wenn Sie aber von Frankfurt kommen, wird so ein Spruch niemals fallen. Im Gegenteil: Es wird Ihnen, bildlich gesprochen, ein roter Teppich vor dem Flugzeug ausgerollt. In jeder Hinsicht werden Sie nach der höchsten Protokollstufe behandelt.

Daß Topmanager nicht arbeiten, hängt auch mit dem System und letztlich unabänderlichen Gesetzen zusammen. Wenn der Topmanager jede Materie, die in seinem Departement zu bearbeiten ist, selbst behandeln wollte, könnte er die Arbeit gar nicht bewältigen. Würde er sich dagegen auf ein Einzelgebiet spezialisieren, dann hätte er den Überblick nicht mehr, den man von ihm erwartet. Das Wichtigste aber ist, daß er dann ständig auf dem neuesten Wissens- und Könnensstand bleiben müßte, wie eben die Spezialisten, die unter ihm arbeiten. Nun sind aber auch Manager dem Gesetz des Älterwerdens ihres Wissens unterworfen; wie ältere Landärzte würden sie ihre Behandlungsmaßnahmen nach einem Wissensstand treffen, der schon vor 30 Jahren überholt war. Also ist der Manager gezwungen, das Wissen der jungen Spezialisten zu usurpieren, nicht indem er sich von diesen genau informieren läßt, sondern indem er sie einfach dort einsetzt, wo sie mit ihrem Wissen für das Unternehmen am meisten Leistung erbringen. Leider müssen wir auch in diesem Zusammenhang eine Legende zerstören, nämlich die Legende, daß Manager und Topmanager ständig umlernen und neu dazulernen müssen. Der Manager muß nur soviel wissen, daß er die unter ihm von den Spezialisten erbrachten Leistungen einigermaßen sinnvoll koordinieren und das heißt: die Macht ausüben kann. Es gilt z. B. als ungewöhnlich, wenn ein Manager sich in der Computertechnik wirklich auskennt. Er muß nur wissen, wer in der Computertechnik der Spezialist ist, damit er z. B. sagen kann: Für diesen Fall hole ich mir meinen Meier; der versteht das ganz ausgezeichnet.

Hat unser Manager das Gefühl, daß sein Meier der Sache eventuell nicht gewachsen sein könnte, dann beruft er einen Professor aus dem Spezialgebiet als Consultant; und deshalb ist es auch nicht verwunderlich, daß das Consultingwesen in den letzten Jahren so gewaltig zugenommen hat und mit Sicherheit weiter zunehmen wird. Das Consultingwesen hat zudem den bereits beschriebenen Vorteil, daß man die Verantwortung auf einen außenstehenden Experten abschieben kann. Da das Unwissen jener, die entscheiden, immer größer wird im Vergleich zum Wissen jener, die nicht entscheiden, nimmt das Consultingwesen immer größere Ausmaße an.

Die Konstanz eines Unternehmens ist letztlich ein Teil seiner Leistungsfähigkeit, auch wenn die Konstanz sich zuungunsten der Leistung auswirkt. Denn was wäre die Alternative? Man müßte wegen des ständig sich erhöhenden Wissensstandes im gleichen Rhythmus ständig die Führerschicht auswechseln, also etwa alle drei bis vier Jahre, was zu total chaotischen Verhältnissen führen würde. Deshalb ist es nötig, daß das Unwissen herrscht. Für den Manager gilt das Gegenteil von dem, was man von einem Spezialisten zu sagen pflegt. Von einem Spezialisten sagt man, daß er immer mehr weiß über immer weniger und am Schluß alles über nichts. Der Manager dagegen weiß nichts über alles. Damit hängt es zusammen, daß man sich mit einem Manager – und besonders mit einem Topmanager – über nichts vertieft unterhalten kann, und deshalb ist es auch so langweilig, als Außenstehender, z. B. als prominenter Schriftsteller oder Wissenschaftler, mit ihm ein Gespräch zu führen.

Hand in Hand mit der Legende von der Arbeit geht die Legende von der Verantwortung. Vielleicht könnte einer der Topmanager in einer ehrlichen Stunde sogar zugeben, daß das, was er zu tun hat, nicht eigentlich als Arbeit bezeichnet werden kann. Dafür wird er aber um so ernsthafter betonen, daß er eine ungeheure Verantwortung trage; denn von seinen Entscheidungen hänge schließlich das Schicksal der Firma und der zahlreichen Arbeitsplätze ab, die die Firma zur Verfügung stellt. Von außen gesehen verhält es sich *tatsächlich* so, und nur deshalb auch konnte die Legende von der Verantwortung überhaupt entstehen. Wir vom Publikum meinen, wenn wir dem Generaldirektor eines Großkonzerns gegenübersitzen (höchstens in der Phantasie natürlich), dieser sei gewissermaßen die ganze Firma, jedenfalls bestimme er effektiv alles, was unter seiner Führung geschieht. Man kann also sagen, daß der Generaldirektor in der Tat nach außen die ganze Symbolik der Verantwortung wie eine Fahne vor sich herträgt.

Was der Außenstehende dagegen nicht kennt, sind die folgenden Gesetzmäßigkeiten. Wenn in einem Unternehmen alles normal läuft, in einer kontinuierlichen Entwicklung mit normalen Gewinnen und normaler Expansion, dann ist das, was dem Wort Verantwortung entsprechen könnte, ein so leeres Schema, wie wenn jemand sagen wollte, er sei für die günstige Konjunkturlage verantwortlich. Anders verhält es sich, wenn ein ungewöhnliches Ereignis eintrifft, ein besonders günstiges oder ein besonders ungünstiges. Tritt ein besonders günstiges Ereignis ein, haben sich z. B. die Gewinne gegenüber dem letzten Jahr verdoppelt: Dann wird unser Generaldirektor dafür sorgen, daß die Entscheidungen, die die günstige Entwicklung hervorgerufen haben, ihm zugeschrieben werden, auch wenn es sich um Entscheidungen seiner Kollegen oder Untergebenen handelt. Er wird dabei auch niemals zugeben, daß das günstige Ereignis, wie es meistens zutrifft, einem Zufall zu verdanken ist. Z. B. wird es ewig ein Rätsel bleiben, warum die Zigarettenmarke Camel ein so gewaltiger Erfolg wurde, während andererseits Jahr für Jahr neun von zehn neu lancierten Zigarettenmarken ein Flop werden und nach kurzer Zeit wieder vom Markt verschwinden. Aber einmal angenommen, es lasse sich eine gewisse Kausalität für einen gewissen Erfolg feststellen, wie z. B. damals beim VW Golf, dem in der Tat höchst intensive Studien vorausgegangen waren, dann wird unser Manager sich diesen Erfolg auf jeden Fall selbst zuschreiben, auch wenn er damit nichts oder nur wenig zu tun hatte.

Die andere Seite der sogenannten Verantwortung zeigt sich im Falle des ungünstigen Ereignisses. Jetzt werden alle Vorteile der höchst komplizierten Arbeitsteilung im modernen Management mit äußerster Brutalität genutzt. Jetzt zeigt sich mit größter Deutlichkeit der Unterschied zwischen Macht und Verantwortung. Macht schützt vor Verantwortung. Der Mächtige kann die Verantwortung wie die Arbeit nach unten abschieben oder auf viele verteilen. Dem liegt ein ganz einfacher Mechanismus zugrunde. Angenommen, ein deutsches Fernsehgerät läßt sich auf dem Markt nicht in genügender Menge absetzen und bringt das Unternehmen in die roten Zahlen. Dann wird natürlicherweise zunächst versucht, den Verkaufschef für den zu geringen Absatz verantwortlich zu machen. Dieser reagiert blitzschnell: »Ich habe Ihnen, meine Herren, ja schon vor zwei Jahren gesagt, daß bei dem von der Produktion kalkulierten Preis unser Gerät sich gegenüber der Konkurrenz nur sehr schwer wird durchsetzen können. Nachdem sich in der Zwischenzeit zudem das Verhältnis zwischen Euro und Yen drastisch verschlechtert hat, ist unsere Situation noch schwieriger geworden.« Damit hat der Verkaufschef für sich zwei Ziele erreicht. Zum einen hat er die Verantwortung – teilweise – auf den Produktionschef abgeschoben, doch nicht etwa vollständig; denn er will sich diesen ja nicht gleich zum Feind machen. Deshalb hat er zweitens auf das Schicksalhafte der Entwicklung verwiesen, nämlich auf das von niemandem zu beeinflussende Währungsverhältnis zwischen Euro und Yen. Nun muß sich der Produktionschef verteidigen. Er wird das ganz einfach mit dem Hinweis tun, daß er den Stückpreis des Produktes ganz wesentlich hätte senken können, wenn die Verkaufsabteilung in der Lage gewesen wäre, ihm größere Mengen abzunehmen, und dann wäre die Unternehmung auch gegenüber den Japanern konkurrenzfähig geblieben. Vielleicht wird der Leser jetzt denken, daß der Aufsichtsrat sowohl den Verkaufschef als auch den Produktionschef, beide

Direktionsmitglieder, auf die Straße stellt. Weit gefehlt. Der Produktionschef und der Verkaufschef werden in der Generaldirektion je mindestens einen Verbündeten finden, der das Volumenargument bzw. das Preisargument unterstützt. Diese Bündnispartner finden sie aus einem leicht zu erklärenden psychologischen Grund: Jeder von den anderen denkt sich, daß er bei nächster Gelegenheit, bei einer eigenen Panne, seinerseits auf die Unterstützung eines Kollegen angewiesen sein könnte. Der Aufsichtsrat, der ursprünglich einen einzigen Sündenbock suchen und verantwortlich machen wollte, steht jetzt vor der Situation, daß die Verantwortung sich auf vier Personen oder noch mehr verteilt, und vor dieser Situation muß er ganz einfach kapitulieren. Es ist unmöglich, in einem Unternehmen auf einen Schlag vier oder fünf Führungskräfte zu entlassen. Fazit: Die Verantwortung wird immer so aufgeteilt, daß niemand sie mehr trägt. Wenn dieses Gesetz schon in einem so einfachen Falle spielt, wieviel mehr dann in den noch häufigeren komplizierten Fällen.

Immer ist auch bei allen Beteiligten die Tendenz festzustellen, unbeeinflußbare, objektive Gründe für ein Debakel zu finden, für die niemand verantwortlich ist: unsichere politische Verhältnisse für den

Markt in Lateinamerika, Währungsverluste beim Dollar, Importrestriktionen in verschiedenen europäischen Ländern usw. usf. Nur im extremen Notfall werden Argumente gesucht, die dem persönlichen Verhalten eines Beteiligten anzulasten sind.

Wenn schon die internen Verantwortlichkeiten in größeren Unternehmen so schwer zu lokalisieren und zu personifizieren sind, wen kann es dann noch verwundern, daß die externe Verantwortlichkeit praktisch überhaupt nie konkretisiert wird? Haben Sie je von einer erfolgreichen Klage eines Aktionärs gegen Manager eines Unternehmens gehört, das Mißwirtschaft betrieben hat? Höchstens im Konkursfall kann die Sache aktuell werden, wenn Gläubiger und ihre Forderungen nicht mehr gedeckt sind.

Aber dieser Fall tritt bei größeren Unternehmen aus drei Gründen höchst selten ein. Erstens wird sich jedes Unternehmen in guten Zeiten große stille Reserven, d. h. dicke finanzielle Polster zulegen, die dann wie im Falle der Schweizerischen Kreditanstalt ohne großes Aufheben aufgelöst werden können, wenn eine größere Panne eintritt. Zweitens wird, falls dieses Hilfsmittel nicht ausreichen sollte, die Branchensolidarität eine Rolle spielen, jedenfalls im Falle der Banken, die sich in ihrem Image insgesamt betroffen fühlen, wenn es einer ihrer Kolleginnen schlechtgeht. Nötigenfalls wird das schwarze Schaf aufgekauft und verschwindet im Magen der größeren Schwester. Im dritten, extremen Fall wird, wenn das Unternehmen groß genug ist, der Staat eingreifen und wegen der volkswirtschaftlichen Bedeutung der zahlreichen Arbeitsplätze massive finanzielle Spritzen verabreichen. Dann allerdings wird es unvermeidlich, mindestens einen Sündenbock zu finden und zu opfern.

Zusammenfassend muß gesagt werden, daß der Manager weder arbeitet noch Verantwortung trägt. Wir haben gesehen, daß die meisten wichtigeren Entscheidungen Kollektiventscheidungen der ganzen Direktion oder des Aufsichtsrates sind und daß bei Pannen entweder alle die Verantwortung gemeinsam vertuschen oder auf unvorhergesehene Ereignisse abschieben oder daß sie ein Opfer finden, das zwar nicht schuldig ist, aber einen sonstigen Fehler begangen hat, einen der kleinen Fehler, die wir im letzten Kapitel dieses Buches beschreiben.

Ethnologie der Manager

Die Manager sind sich in allen Ländern der Welt im Grundsätzlichen sehr ähnlich, doch gibt es nationale Unterschiede, die recht aufschlußreich sein können und die besonders von demjenigen zu beachten sind, der von seiner Firma in ein fremdes Land geschickt wird.

Die grauesten aller grauen Mäuse kommen im deutschen Bereich vor. Dort herrscht auch eine klar sichtbare und immer strikt eingehaltene Rangordnung. Geht das Management einer Firma z. B. gemeinsam zum Mittagessen, dann wird es immer der oberste Chef sein, der zuerst durch die Tür tritt, so daß der Kellner sofort erkennt, an wen er sich zuerst zu richten hat. Die Sitzordnung wird strikt der Rangordnung entsprechen: Z. B. werden die Generaldirektoren, wenn sie sich gemeinsam mit dem Aufsichtsratsvorsitzenden zu Tische begeben, erst Platz nehmen, nachdem der Aufsichtsratsvorsitzende ihnen ihre Plätze zugewiesen hat. Auch in der Schweiz würde sicher kein Generaldirektor sich setzen, bevor der Verwaltungsratspräsident sich gesetzt hat; dann aber werden sie alle irgendwo Platz nehmen und sich möglichst einen Platz neben einem Koalitionspartner aussuchen.

In der Tiefgarage einer deutschen Großbank wird der Kenner sofort feststellen können, wem welches Auto gehört. Der schwarze Mercedes 600 ist in der Regel ein Dienstwagen, geführt von einem uniformierten Chauffeur, und darf nur von Generaldirektoren und Aufsichtsratsmitgliedern benutzt werden. Die Privatwagen der Manager entsprechen ziemlich genau deren Rang: große Mercedesse für Direktoren und Generaldirektoren, wobei z. B. der Mercedes 450 gegenüber dem Mercedes 300 deutlich einen Rangabstand markiert. Die unteren Kader haben BMWs, die jüngsten Mitglieder des Managements allenfalls Audis.

Sehr wichtig ist die Rolle des Chauffeurs. Der Firmenchauffeur muß ständig mit Uniform und Mütze herumstehen und nicht nur den Generaldirektor, der sich natürlich ostentativ in den Wagenfond setzt, herumchauffieren, sondern auch dessen Ehefrau, wenn sie Einkäufe macht. In Italien sind diese Verhältnisse allerdings noch viel ausgeprägter. Einen Chauffeur zu haben nicht nur für die Firma, sondern auch privat und ihn für möglichst niedrige Dienste auszunutzen, besonders auch nutzlose, gilt dort als absolut unentbehrliches Statussymbol. Dafür sind die Italiener, was mit der katholischen und patriarchalischen Tradition zusammenhängt, mit ihren Untergebenen zwar autoritär, dann aber plötzlich wieder sehr herzlich; sie nutzen ihre Macht schamlos aus, doch sind dieser natürliche Grenzen gesetzt durch die Disziplinlosigkeit der Untergebenen.

Was das Chauffeurwesen betrifft, so machen nur die beiden alten Demokratien USA und Schweiz eine Ausnahme von dem schönen Brauch, daß jedem Generaldirektor eines größeren Unternehmens ein Dienstwagen mit Chauffeur zur Verfügung steht. Für den Chauffeur-Gewohnten kann es außerordentlich verwirrend werden, wenn er vom Generaldirektor selbst und nicht vom Chauffeur am Flughafen abgeholt wird. Da die USA wie auch die Schweiz ihre demokratischen Legenden mit ungebrochenem Eifer pflegen, gibt es in diesen Ländern sehr wenige Bedienstete, kaum je einen Butler, nicht viele Dienstmädchen, ganz selten auch Kindermädchen – alles Erscheinungen, die in Italien und in England immer noch selbstverständlich sind. Wenn sich Chauffeure und Dienstwagen in den USA und in der Schweiz nicht vermeiden lassen, dann doch niemals mit Trennscheibe. Auch wird sich der Chef, wenn er mit dem Chauffeur des Dienstwagens allein fährt, nie in den Fond setzen, anders als in allen anderen Ländern, sondern vorne neben den Chauffeur.

Das demokratische Gebot in den USA und in der Schweiz hat zur Folge, daß der Manager es möglichst vermeidet, überhaupt einen Chauffeur zu benutzen, denn wenn er mit ihm fährt, fühlt er sich verpflichtet, mit ihm zu sprechen, weiß aber nicht, worüber; und ganz besonders möchte er die Situation vermeiden, wo er mit dem Chauffeur zusammen in einem Restaurant speisen muß. Für den Italiener würde dies keinerlei Probleme verursachen. Der italienische Boß würde das Restaurant betreten, hinter ihm der Chauffeur, die Mütze gehorsam in der Hand; der Boß setzt sich an den besten Tisch, der Chauffeur vier Tische weiter in die Ecke; der Kellner erfaßt die Situation sofort und fragt den Boß, nachdem er dessen Bestellung aufgenommen hat, für wieviel tausend Lire dem Chauffeur zu speisen erlaubt sei.

Für den Schweizer und den Amerikaner ist die Situation entschärft, wenn mehrere Mitglieder der Generaldirektion zusammen den Chauffeur des Dienstwagens benutzen, um in ein Restaurant gefahren zu werden. Dann werden sie den Chauffeur vor dem Restaurant entlassen und ihm ganz einfach sagen, er solle sie in zwei Stunden wieder abholen.

An den harten Gesetzen des Managements findet natürlich jede Demokratie ihre Grenze; selbst die amerikanische und die schweizerische Legende wird abgelöst durch klare Realitäten. Beginnen wir mit Amerika. In Europa ist die Meinung weit verbreitet, daß alle Amerikaner von oben nach unten wie auch von unten nach oben einander mit Vornamen anreden, also mit John, Jim, Bob usw. Dies trifft in der Tat zu, soweit es sich um den Fluß von oben nach unten handelt. Der Generaldirektor wird alle seine Untergebenen mit John, Jim oder Bob anreden; umgekehrt geht die Sache aber nur bis zur nächsthöheren Stufe. Der Vizedirektor wird seinen Direktor noch mit Vornamen anreden dürfen, nicht mehr aber den Generaldirektor. Dort heißt es dann ganz klar: »Sir!« Nun wird man sich fragen, warum denn der Vizedirektor seinem Direktor nicht auch schon »Sir« nennen muß. Die Erklärung ist sehr einfach. Der Vizedirektor wird dank der ihm vom System gestatteten Vertraulichkeit das Gefühl bekommen, daß er nicht nur vom Unternehmen zur Pflichterfüllung aufgerufen sei, sondern daß er gleichzeitig in einer menschlichen Beziehung stehe, die ihn zu mehr verpflichtet als zur bloßen Pflichterfüllung. Auf diesem Wege kann das Unternehmen aus seinen Leuten mehr herausholen, als wenn die Beziehungen ganz formal wären. Jetzt hat der Untergebene das Bedürfnis, seinen Vorgesetzten, der ja, wie er meint, zugleich eine Art Freund ist, nicht zu enttäuschen, und er wird beispielsweise auch hin und wieder einmal unbezahlte Überstunden machen, selbst wenn es für seine Karriere nicht einmal von Nutzen ist. Ein weiterer Vorteil der amerikanischen Vertraulichkeit besteht darin, daß der Vorgesetzte seinem Untergebenen auf eine recht formlose Art, ohne ihn zu verletzen, auf Fehler aufmerksam machen und ihm Rügen erteilen kann: »What a goddamned shit did you make!« Die informelle Art der Rüge ermöglicht es dem Vorgesetzten, seine Emotionen rasch abzuladen, den Untergebenen auf die richtige Spur zu bringen, und der Untergebene wird bei alledem nicht eigentlich verletzt und daher auch weiterhin für das Unternehmen motiviert sein. Der informelle amerikanische Führungsstil hat insgesamt eigentlich nur Vorteile.

Den Gegensatz dazu bildet der Führungsstil der deutschen Manager. Der starren Hierarchie und den sichtbaren Rangabzeichen im deutschen Management entspricht ein Formalismus in den Umgangsformen und im Führungsstil. Der Vorgesetzte, der mit der Arbeit seines Untergebenen nicht zufrieden ist, wird nicht wie sein Kollege in Amerika seinen Tadel barsch, emotional und damit akzeptierbar abladen, sondern er wird seinen Ärger lange Zeit aufstauen, vielleicht in der Personalakte – alle Deutschen haben Personalakten – eine negative Notiz über den Untergebenen anbringen, sich da und dort über ihn beschweren, aber lange Zeit nicht mit ihm darüber sprechen. Schließlich aber muß der Vorgesetzte, schon um seine Anweisungen durchzusetzen, das ganze Reservoir von Ärger und Mißbilligung auf einmal und mit katastrophalen Folgen über den armen Untergebenen ausleeren. Er wird ihn über die Sekretärin zu sich bestellen. Schon dadurch entsteht ein verheerender Effekt, da nun mehrere an und für sich unbeteiligte Personen wissen und weitertratschen, daß sich über dem Untergebenen etwas zusammenbraut. Nun tritt dieser ins Büro des Vorgesetzten, der ihm in gehäufter Massierung, schön systematisch geordnet, schulmeisterlich alles vorhält, was er sich in den letzten Monaten an Fehlern des Untergebenen notiert hat. Damit ist es dem Vorgesetzten gelungen, das an und für sich kleine Problem so groß zu machen, daß eine Lösung jetzt sowohl für ihn wie für den Untergebenen mindestens sehr schwer geworden ist.

Am auffälligsten sind die ethnologischen Unterschiede im Managerverhalten hinsichtlich des Einbezuges der Ehe- und anderen Frauen ins Power Play. Am einen Ende der Skala steht der Amerikaner, bei dem schon aus historischen Gründen – Pionierzeit – die Ehefrau in allen Randgebieten des Power Plays eine eminent wichtige Rolle spielt. Als Randgebiete bezeichnen wir das ganze Social Life, das sich außerhalb der Geschäftsräumlichkeiten abspielt, die Dinners, die Conventions, die Symposien. Die amerikanischen Frauen sind immer dabei, und sie knüpfen eifrig mit an den Beziehungen und Koalitionen, die dem Power Play zugrunde liegen. Diese in Amerika nun einmal gegebene Situation ist für unseren Manager mit erheblichen Gefahren verbunden. Deshalb muß er dafür sorgen, daß die Beziehungen, die seine Frau mit den Frauen anderer Manager pflegt, ständig seiner Kontrolle unterliegen. Er wird also danach trachten, daß sich seine Frau nur in seiner Anwesenheit mit Frauen anderer Manager trifft. Andernfalls wird sie sein Power Play höchstens durcheinanderbringen. Muß er z. B. um der Karriere willen seinen Koalitionspartner wechseln, dann wird es für ihn außerordentlich schwierig, das Problem zu bewältigen, wenn sich seine Frau mit der Frau des früheren Koalitionspartners inzwischen eng befreundet hat. Also wird er die unvermeidliche Anwesenheit seiner Ehefrau möglichst geschickt dosieren.

Am anderen Ende der Skala steht der Italiener. In Italien ist es möglich, daß Sie selbst nach zehn Jahren intensiver Zusammenarbeit mit einem Direktionskollegen dessen Frau immer noch nicht gesehen haben. Erst wenn Sie ihn mit einer schwarzen Krawatte herumlaufen sehen, wissen Sie, daß seine Frau gestorben ist. Im übrigen existieren die Ehefrauen im italienischen Management nicht. Bei den Busineß-Dinners der Italiener tauchen nie Frauen auf. Dabei hat fast jeder italienische Manager eine festinstallierte Freundin, nämlich das, was man früher eine Mätresse nannte, ganz in der lateinischen Tradition verwurzelt, mit ihrem Hang, selbst das Abenteuer zu institutionalisieren. Die im Katholizismus angelegte Doppelmoral gestattet es, verlangt aber auch die doppelte Treue: die Treue zur Mutter der legalen Kinder und die Treue zur Mutter der illegalen Kinder. Die beiden italienischen Frauen bleiben im Power Play völlig ungefährlich, weil sie nie die Gelegenheit haben, sich daran zu beteiligen. Zugleich genießt der italienische Manager den Vorteil, daß beide Institutionen, die Ehe und die außereheliche Beziehung, anerkannt sind und niemand sich mit Gesprächen darüber interessant machen kann. Scheidungen gibt es nur von den Mätressen: Alle fünf bis zehn Jahre trennt sich das Starlet oder, bei kleineren Managern, die Coiffeuse vom Geliebten, um zu heiraten, noch ehe sie 28 Jahre alt ist. Dann rückt ihre jüngere Freundin in die verlassene Stellung und die vom Manager bezahlte Wohnung ein.

In Deutschland und in der Schweiz ist der Kodex weniger streng als in Amerika, und zugleich sind die Manager hier weniger großzügig als in Italien. Die deutschen und schweizerischen Ehefrauen sind eigentlich wichtig nur als Vorzeigeobjekte, um die innere Stabilität des Managers zu demonstrieren; sie tauchen aber nur selten auf und haben nie Gelegenheit, sich am Power Play zu beteiligen. Sie sind reine Repräsentationssubjekte, müssen einigermaßen wissen, wie man einen gepflegten Haushalt führt, wie man sich anzieht und wie man ein belangloses Gespräch führt. Allesamt sind sie adrett und nett. Die Freundinnen der deutschen und schweizerischen Manager gibt es natürlich auch, die Beziehung zu ihnen ist jedoch meistens wenig dauerhaft und hat eher Seitensprungcharakter, schon weil die deutschen und schweizerischen Manager zu sparsam sind, um sich eine echte Mätresse alla italiana zu halten.

Da sich die Schweiz immer für einen Sonderfall gehalten hat, ist sie auch zu einem solchen geworden. Damit kommen wir zum Militärwesen. Seit 450 Jahren hat die Schweiz keinen eigentlichen Krieg mehr geführt, und deshalb hat das Militär in der Schweiz eine ganz andere Bedeutung als anderswo. Es dient zwar sicherlich der Landesverteidigung, zumal das Land nicht angegriffen wird; in erster Linie aber ist es der größte Rotaryclub der Welt, beschränkt allerdings auf ein einziges Land.

Da alle Schweizer fast auf Lebenszeit Soldaten sind und alljährlich in den Militärdienst einrücken müssen, findet in diesem Land alljährlich für die gesamte männliche Bevölkerung ein totaler Rollenwechsel statt. Der Lehrer wird zum Füsilier, der Schlosser zum Kanonier, der Hilfsarbeiter zum Pontonier. Die grauen Mäuse werden wir auch hier wieder antreffen, jedoch in anderen Chargen, nämlich in den für sie gewohnten höheren, d. h. als Kompanie-, Bataillons- oder Regimentschefs. Für sie, die grauen Mäuse, ist das Militär weniger ein Rollenwechsel als ein Wechsel der Branche. Die Durchmischung hat für die grauen Mäuse, und selbst für die anderen, bedeutende Vorteile: Jetzt trifft sich der Maschinenboß mit dem Chemieboß, der Textilboß mit dem Lebensmittelboß usw. Auch Keller ist natürlich dabei.

Die Solidarität, die durch das Schützengrabendasein und den gemeinsamen Zweck der Landesverteidigung hervorgerufen wird, schafft neue, dauerhafte Freundschaften und Koalitionen, die den Managern, nunmehr in Offiziersuniformen verkleidet, für das Zivilleben nur Vorteile bringen können.

Das ist auch der Grund dafür, daß in der Schweiz jeder Manager oder Managerkandidat, der sich seine Karriere wirklich gut überlegt, den zivilen Aufstieg eng mit dem militärischen verbindet. Also würden wir Kurt Schneider unbedingt anraten, die Rekrutenschule mit Eifer zu absolvieren – auf dieser Stufe schadet sogar auffälliger Eifer nicht –, später die öde und anstrengende Zeit der Unteroffiziersschule auf sich zu nehmen, Korporal zu werden, dann auch die nur dem Außenstehenden und Uninformierten als nutzlos vertane Zeit erscheinende Offiziersschule durchzustehen, um zunächst Leutnant zu werden, worauf man automatisch nach vier Jahren Oberleutnant wird; und dann muß Kurt Schneider auf jeden Fall versuchen, die Kaderschulen zu absolvieren, die ihm später den Hauptmannsgrad, d. h. den Rang eines Kompaniekommandanten, einbringen. Unterhalb des Hauptmanns nützt der militärische Rang für das zivile Power Play überhaupt nichts. Vom Hauptmann an erst wird es interessant. Aus der normalen

Kameradschaftlichkeit unter den im militärischen Verband eingegliederten gleichrangigen Männern ergeben sich neue, wertvolle Beziehungen, die nie den Anschein des künstlich und krampfhaft Erarbeiteten an sich tragen. Auf ganz natürliche Weise lernt Schneider den Generaldirektor der Gastrum AG, seinen ihm jetzt im Militär Vorgesetzten kennen, der ihm allenfalls später im Zivilleben behilflich sein kann, von der Pandora zur Gastrum zu wechseln. Auch mit Keller wird er bekannt, der ja schon aus geschäftlichen Interessen im Militär den Rang eines Majors bekleidet. Keller selber lernt hier auf Staatskosten Kaderleute kennen, die er später im Zivilleben vermitteln kann, zusätzlich mit der Qualifikation, daß diese Kaderleute ja schon im Militär von vielen anderen Bossen und Managern als befähigt angesehen wurden. Auch hier gilt der Mechanismus der externen Absicherung, und hier ganz besonders, allerdings erst von einer gewissen Ranghöhe an. Wenn ein Manager Oberst ist, also Regimentskommandeur, dann wird es seiner Firma schwerfallen, ihn zu feuern, selbst wenn er eine Flasche sein sollte. Denn hinter dem Rang des Obersten stehen so viele Qualifikationsurteile anderer Manager, die sie während ihres Praktikums in der militärischen Branche abgegeben haben, daß man schon sehr gute Argumente braucht, um den Manager-Oberst wegen Fehlleistungen in der Firma zu entlassen; da ist es schon besser, einen anderen Sündenbock zu finden. Das Schlimmste, was unserem Oberst passieren kann, wird sein, daß er in seinem Unternehmen in eine neue Funktion, nämlich in eine funktionslose Funktion, geschoben wird, bei gleichbleibendem Gehalt und Titel, freilich ohne Kompetenzen.

Zum Glück für die Manager in der Schweiz und für die Einfachheit der Darstellung der Methode des Aufstiegs ist die totale Umkehrung der Rollen im militärischen gegenüber dem zivilen Bereich äußerst selten. Immerhin hat sich der Fall schon verschiedentlich ereignet, und daraus hat sich jeweils ein, wenn auch nur individuelles Problem entwickelt. Verhältnismäßig unproblematisch ist der Fall, wo der Oberst, im Zivilleben Generaldirektor, seinen Vizedirektoren begegnet, von denen der eine Major, der andere Hauptmann ist. Dann wird dies für beide, den Major und den Hauptmann, von Vorteil sein; die Kameradschaftlichkeit des Militärs wird sich für sie beide wohltuend auch in der zivilen Karriere auswirken. Ebenso idyllisch verläuft das Ereignis, bei welchem sich Hauptleute oder Majore begegnen, die im Zivilleben, wenn auch in verschiedenen Branchen, ebenfalls einander gleichrangig sind. Daraus können Chancen für Koalitionen im eigenen Betrieb oder für neue Stellenangebote beim allenfalls notwendigen Umsteigen entstehen. Wirklich problematisch ist eigentlich nur der seltene Fall, wo ein Wehrmann, der im Zivilleben einen sehr hohen Rang bekleidet, im militärischen Bereich in sehr tiefer Funktion einem Offizier unterstellt ist, der im Zivilleben weit unter ihm steht. Je größer der Abstand, desto geringer der Nutzen für alle Beteiligten. Diese extrem peinliche Situation kann indessen nur in Extremfällen entstehen, weil sowohl im Zivilleben wie im militärdienstlichen Bereich durch das Gesetz des Zeitabsitzens dafür gesorgt ist, daß kaum je ein sehr junger Mann über einen älteren herrschen wird, der ihm in einem anderen Bereich sonst vorsteht. Immerhin ist der Fall bekannt geworden, in welchem ein Vizedirektor im Militärdienst Fahrer (d. h. dienstlicher Chauffeur) seines Prokuristen war. Auch dies wiederum hat beiden genützt. Der Prokurist (der Major) hat seinen Vizedirektor (den einfachen Soldaten), soweit es die militärischen Regeln erlaubten, so geschont und bevorzugt, daß es später, im Zivilleben, nicht lange dauerte, bis die Direktion, nicht zuletzt dank der Empfehlung des Vizedirektors (des Fahrers), jenen zum Vizedirektor beförderte, natürlich in einer anderen Abteilung.

Kleine, aber wichtige Tips für die Karriere

Die erste Voraussetzung, die man erfüllen muß, um als Manager Karriere zu machen, ist die: man darf keine Frau sein. Als Frau kann man höchstens die Frau eines Managers werden, aber das ist ein ganz anderer Weg. Das Gesetz des Vorranges des Mannes gilt im Management immer noch fast absolut.

Als allgemeinste Regel gilt, seine Positionen so auszubauen, daß man möglichst kampflos die potentiellen Gegner überrundet. Jeder Kampf ist eine mögliche Niederlage. Er soll nur gewagt werden, wenn er von weit überlegener Position her geführt werden kann.

Mit den Statussymbolen nicht den Status überschreiten, der einem zukommt. Selbst ein Direktor darf keinen Rolls-Royce fahren.

Jede Auffälligkeit und Extravaganz in der Kleidung vermeiden. Die Kleidung sei grau oder dunkelblau, Krawatte obligatorisch, Rollkragenpulli usw. verboten. Gefordert ist ein gepflegtes, unauffälliges Aussehen; Bärte und Schnurrbärte wirken unvorteilhaft.

An der Ausstattung des Büros, die ohnehin vom Unternehmen vorgeschrieben ist, möglichst wenig ändern, auf keinen Fall einen Perserteppich mitbringen. Gestattet sind kleine, persönliche Reviermarkierungen wie z. B. das Photo der Frau mit den Kindern. Zulässig und sogar zu empfehlen sind auch visuelle Gesprächshilfen wie etwa das Photo einer alten DC3, woraus sich ergibt, daß der Büroinhaber Militärpilot ist oder war. Auf keinen Fall das Photo des gegenwärtig geflogenen Flugzeugs aufstellen; das gilt als Angeberei, besonders wenn Sie selbst mit abgebildet sind. Die Funktion der Gesprächshilfe könnte bei einem Manager, der leidenschaftlicher Bergsteiger ist, auch das Panorama des Monte Rosa übernehmen.

Keine Alkoholika im Büro; auch beim Lunch mit den eigenen Kollegen wird nur Alkoholfreies getrunken. Wenn Sie aber unbedingt Wein bestellen wollen, dann auf jeden Fall eine Flasche Mineralwasser dazu, so daß der Eindruck eines höchstens mäßigen, entspannten Alkoholgenusses entstehen kann. Wer dagegen nie Wein bestellt, gilt als freudloser Abstinenzler oder anonymer Alkoholiker.

Der Manager zeigt selbst bei Firmenfesten nie Zeichen von Angetrunkenheit.

Nie ostentativ und theatralisch Akten mit nach Hause nehmen, sondern nur im Notfall, wenn auch die andern wissen, daß es wegen besonderen Zeitdrucks geboten ist. Vom Manager wird erwartet, daß er seine Arbeit rationell einteilen kann und daß er die Wochenenden im ruhigen Kreise seiner Familie verbringt, um am Montag wieder fit zu sein. Die geordnete Familie muß immer als Hintergrundlandschaft (wie auf alten holländischen Gemälden) fein sichtbar oder vermutbar sein.

Die Belegung des Schreibtisches mit Papieren muß funktionsgemäß sein und soll nichts vorspiegeln. Nie *zu* geschäftig wirken, sondern Überblick zur Schau stellen.

Die Handbibliothek ist strikt fachbezogen; doch empfiehlt es sich, einige Farbakzente zu setzen, die ein breites Interesse und einen weiten Horizont markieren, z.B. mit »Il Principe« von Machiavelli oder Alvin Tofflers »Zukunftsschock«. Dann aber müssen Sie diese Bücher auch wirklich gelesen haben, um nicht in die Verlegenheit zu kommen, daß ein Besucher Sie in ein Gespräch darüber verwickelt und Sie überhaupt nicht Bescheid wissen.

Abendliche Ausgänge nicht zu häufig und nur in angesehene Lokale. Wenn mit der Sekretärin, dann in ein stark frequentiertes, zentral gelegenes Restaurant; gehen Sie ja nicht mit ihr in eine abgelegene Gastwirtschaft auf dem Land. Denn wenn Sie dort jemand antrifft, dann ist er überzeugt, er habe Sie ertappt, und er wird dies auch entsprechend herumerzählen.

Freundschaften mit anderen Aufsteigern von der Studienzeit und vom Militär her sind kontinuierlich zu pflegen, indem man sich etwa viermal im Jahre trifft oder wenigstens miteinander telephoniert. Sehr gefährlich ist es, eine lange Zeit vernachlässigte Beziehung plötzlich wieder aufzunehmen, um sich damit einen Vorteil zu verschaffen. Der andere wird sich leicht mißbraucht vorkommen. Besonders nützlich ist die Pflege von Freundschaften mit Gleichrangigen in anderen Branchen. Höherrangige bekommen leicht das Gefühl, man wolle sich bei ihnen einschmeicheln, um etwas von ihnen zu erreichen. Protektion soll man dankbar akzeptieren, sich aber nicht darum bemühen. Sie sollte immer nur aus zufälligen und ungezwungenen Situationen entstehen. Solche Situationen können sich beispielsweise im Golfclub ergeben; aber auch dann gehen Sie nicht auf den Höheren zu, sondern lassen ihn auf sich zukommen.

Hilfsmittel für die Pflege wertvoller Beziehungen sind angesehene Vereine, Fachvereinigungen und auch Clubs. Sie können z. B. selbst die Anregung machen, daß Sie und Ihre Mitaufsteiger sich jeden Dienstag in einem netten, zentral gelegenen Lokal zum Lunch treffen. Schon die Gespräche, die in dieser Runde stattfinden, werden immer wertvolle Informationen enthalten. Dabei sollen Sie eher Informationsempfänger sein als Informationsgeber, jedoch nicht als Aushorcher auffallen. Die Runde muß offen sein, zwanglos, und man sollte nicht zu regelmäßigem Erscheinen verpflichtet sein. Sie sollte auch nicht *nur* aus Aufsteigern bestehen; es dürfen ruhig auch ein paar Ärzte oder Anwälte oder Wissenschaftler dabeisein. Damit wird unterstrichen, daß der Dienstagslunch nichts mit Karrieremacherei zu tun hat.

Die Außenabstützung ist frühzeitig vorzubereiten, indem außerhalb des Unternehmens mit Ansehen verbundene Funktionen oder Positionen errungen werden, etwa durch Publikation von fachbezogenen Zeitschriftenartikeln, durch Vorträge vor Fachvereinigungen, durch Mitgliedschaft im Vorstand einer Branchenvereinigung.

Beim Aufbau der Karriere sind Umwege zu vermeiden; also auch bei gutem Gehalt nicht zu Klein & Krämer gehen, sondern von Anfang an beim Großkonzern einsteigen.

Einer der schwersten und fast immer tödlichen Fehler ist die kleine Betrügerei bei den Spesen. Schon zwei Euro, die nicht ganz stimmen, können Sie den Kopf kosten. Bekanntlich sind ja die größten Machthaber über ihre kleinsten Schwächen gestolpert. Also nehmen geschickte Manager eher hin und wieder etwas auf ihre eigenen Kosten, als daß sie nicht-belegbare Spesen beziehen. Die Kontrolleure, Neider und Konkurrenten haben nämlich einen besonderen Blick für Kleinigkeiten.

Ähnlich wie mit den Spesen verhält es sich mit den Kundengeschenken. Es verbietet sich absolut, diese für sich zu behalten; vielmehr gehört es zum guten Stil, sie sofort und ostentativ an die unteren Angestellten zu verteilen.

Die kleine Bestechlichkeit ist also unbedingt zu vermeiden. Bei der großen Bestechlichkeit, die leider auch nicht selten vorkommt, weiß jedoch der Manager genau, was er tut und daß er sich auf dem Boden der Wirtschaftskriminalität befindet. Damit riskiert er Kopf und Kragen. Wenn es nicht ruchbar wird, hat er vielleicht das größte Geschäft seines Lebens gemacht.

Anders verhält es sich mit der aktiven Bestechung. Deren Mechanismus muß der Manager, der mit Ländern beispielsweise des Mittleren Ostens Geschäfte tätigt, ganz genau kennen. Er muß wissen, wen man schmieren muß und wie man es tut.

Unentbehrlich ist auch eine gewisse Beteiligung am Kulturleben der Stadt; es ist gut, hin und wieder bei Premieren gesehen zu werden, besser im Schauspielhaus als in der Oper; jenes wirkt gebildeter und hat keine Soubretten.

Den Wirtschaftsteil angesehener Zeitungen muß der Manager regelmäßig lesen, ebenso zwei oder drei Wirtschaftsfachblätter. Dabei muß er besonderes Augenmerk auf die personellen Veränderungen, die in der Szene stattfinden, richten. Besser noch ist es, wenn er früher als die Zeitungsleute über solche Vorgänge informiert wird, z. B. über Freunde aus anderen Branchen.

Börsengespräche nicht zu häufig und nur mit distanzierter Ironie führen.

Der erfolgreiche Aufsteiger wird stets ein diskretes Verhalten an den Tag legen; Bluff und Angeberei sind unter allen Umständen zu vermeiden. Es bringt z. B. überhaupt nichts ein zu sagen, mein Freund, der Generaldirektor so und so oder der Dirigent so und so hat mir gestern einen Blitzbesuch gemacht. Selbst wenn das tatsächlich der Fall gewesen sein sollte, hilft es nicht weiter, und wenn es nicht der Fall gewesen sein sollte, wird es an den Tag kommen und sich verheerend auswirken. Sollte tatsächlich Generaldirektor Bauer aus dem andern Großkonzern Sie angerufen haben, so lassen Sie dies im eigenen Unternehmen nur wissen, wenn dafür ein klarer fachlicher Grund besteht. Das, was die Amerikaner »name-dropping« nennen und schamlos üben, ist in Europa als Angeberei verpönt.

In Europa legen wir Gewicht auf die Qualität und nicht auf die Quantität des Bekanntenkreises. In Europa wird genau abgestuft zwischen Kollegen, Bekannten und Freunden; in Amerika werden alle »my friend« genannt. Diese Regeln, so einfach sie scheinen und so banal sie klingen, sind auf die Dauer äußerst schwer einzuhalten und verlangen den Managern strengste Disziplin ab. Schon ein einziger Fehltritt oder Regelverstoß genügt, um jahrelange mühsame Arbeit an der eigenen Karriere zunichte zu machen. Nur mit übermenschlichen zusätzlichen Leistungen kann nach längerer Zeit ein kleiner Fehler wiedergutgemacht werden.

Wenn es Ihnen aber gelingt, die Regeln einzuhalten, dann können wir Ihnen versichern, daß Sie es mindestens bis zum Direktor bringen. Andernfalls werden wir Ihnen den Preis für dieses Buch zurückerstatten.

Neuausgabe 2003

Umschlaggestaltung: Charlotte Löbner, Mainz
Gesetzt aus der Syntax
Satz: Satz für Satz. Barbara Reischmann, Leutkirch
Druck und Bindung: Fuldaer Verlagsagentur, Fulda
Printed in Germany
ISBN 3-85842-558-3

Schöner streiten

Werner Troxler
Liebe, Zoff und Zank
Ein praktischer Streitführer
168 Seiten · gebunden
sFr 28,90 · € 15,90
ISBN 3-85842-492-7

Streiten Sie auch manchmal? Sogar oft? Und ärgern Sie sich, daß die Auseinandersetzungen immer nach demselben Muster ablaufen? Streiten gehört zwar zum Alltag, aber oft erleben wir es als destruktiv und bedrückend. Aber das muß nicht so sein.

Der erfahrene Kommunikationsexperte Werner Troxler zeigt, wie ein Streit lösungsorientiert und konstruktiv ausgetragen werden kann. Er benennt die wichtigsten Konflikttreiber und erklärt die häufigsten Ursachen. Darüber hinaus gibt er ganz konkrete Anleitungen und Tips, damit ein alter Streit eine neue Wendung bekommt und zu konstruktiven Lösungen führt.

Pendo
www.pendo.ch
Forchstraße 40 CH-8032 Zürich
Fon 0041/1/389 70-30
Fax 0041/1/389 70-35